L'HISTOIRE DE
Marcel

MARCEL MAILLOUX

L'HISTOIRE DE Marcel

Domino

Illustration de la couverture : Mireille Levert
Maquette de la couverture : Katherine Sapon
Maquette intérieure : André Laliberté
Illustrations de l'intérieur : André Laliberté

Équipe de révision

Jean Bernier, Danielle Champagne, Michelle Corbeil, René Dionne, Louis Forest,
Monique Herbeuval, Hervé Juste, Jean-Pierre Leroux, Odette Lord,
Paule Noyart, Normand Paiement, Jacqueline Vandycke

LES ÉDITIONS DOMINO LTÉE
(Division de Sogides Ltée)
955, rue Amherst, Montréal
H2L 3K4
tél. : (514) 523-1182

Distributeur exclusif pour le Canada :
AGENCE DE DISTRIBUTION POPULAIRE INC.
(Filiale de Sogides Ltée)
955, rue Amherst, Montréal
H2L 3K4
tél. : (514) 523-1182

Copyright 1984, Les Éditions Domino Ltée
Dépôt légal, 4e trimestre 1984.
Bibliothèque nationale du Québec

ISBN 2-89029-052-2

à Paule Noyart

*"Le désir moule dans l'argile
ce que la vie sculpte dans le
marbre."*

Ce livre, je l'ai écrit afin de rendre hommage à tous ceux et celles qui ont fait naître en moi l'espérance et la foi.

Ce livre, je l'ai écrit afin de livrer un message d'espoir et d'amour à ceux qui souffrent, à ceux qui pleurent et à ceux qui cherchent, pour enfin leur montrer le sommet à atteindre.

Je crois que la vie nous réserve de bonnes choses et que le désir d'être heureux est légitime.

Et à l'aube de mes trente-huit ans, je crie très fort ma satisfaction de posséder la vie et d'être habité par la joie d'exister.

Marcel Mailloux.

Préface

Quand bébé Marcel fait son humble apparition sur cette terre, les bonnes fées manquent à l'appel; personne ne les a fait quérir. Il y a bien une dame à son chevet, mais elle n'offre aucune des caractéristiques propres aux fées bienveillantes; sa voix, quand elle lui parle, est sèche et coupante; ses mains ne sont pas douces. Bébé Marcel est très inquiet, mais il grandit sans faire d'histoires.

Les semaines, puis les mois passent. Un jour, lassé d'attendre qu'un visage aimant se penche sur son berceau, le petit enfant sent monter en lui le désir d'aller voir ailleurs.

C'est le temps de se mettre à quatre pattes, puis de se lever et de partir à l'aventure. Ce désir, pourtant bien légitime, ne fait l'affaire de personne et, du simple bébé encombrant qu'il était, l'enfant Marcel, bientôt surnommé "le Chieux", est promu à la dignité de souffre-douleur. On lui apprend que, où qu'il aille, il n'est ni attendu ni désiré. On invente même, à son intention, un sport familial: "La chasse au Chieux". Un sport d'équipe, avec guetteurs, rabatteurs, chasseurs, exécuteurs et, bien sûr, la victime. Mais il ne s'agit pas d'une simple chasse: poursuivre, attraper, exécuter... non, loin s'en faut. Ce sport-là s'assortit d'un discours si redoutable, si pervers, qu'il amène parfois la victime à se livrer d'emblée, convaincue de sa culpabilité.

Il y a différentes manières de porter atteinte à un être humain. La famille de Marcel se surpassa. On chercherait en vain des excuses aux différents protagonistes de cette triste farce, au père, démissionnaire et lâche, au frère aîné, figé dans son égoïsme, à la soeur, cruelle et impitoyable, à la mère, dont il est impossible de qualifier la conduite sans recourir à des termes qui paraîtraient outranciers.

Des réducteurs de tête. Voilà ce qu'ils furent à leur façon, s'encourageant mutuellement, tous complices dans la même entreprise abjecte de sabotage. Car c'est bien de cela qu'il s'agit: une famille, ni plus pauvre, ni plus démunie, ni plus malheureuse que les autres s'ingénie à faire avorter l'enfance de l'un des siens.

À dix-sept ans, l'instinct de conservation de Marcel va le pousser dehors, mais il est devenu momentanément inapte, inapte à l'amitié, à l'étude, au travail honnête, au rire vrai, à l'affection désintéressée. Et la triste litanie va commencer: le vol, les flics, le vol, la prison, le vol, le pénitencier...

Va-t-il s'en tirer? Sans doute. Il y a, dans l'être humain, des réserves insoupçonnées dans lesquelles il est libre de puiser. Marcel va se redresser, devenir un homme. Cela ne tient-il pas du prodige, que les traitements injustes, les jugements arbitraires, et, disons le mot, le sadisme organisé n'aient pas réussi à le détruire?

L'histoire de Marcel n'est pas un texte littéraire, c'est un récit à fonction d'exorcisme. La langue y est rude, brutale dans sa simplicité, sans autre but que de raconter les faits. En ce sens, l'oeuvre est exemplaire.

Les enfants maltraités ne liront pas ce texte, et c'est dommage, car ce sont eux qui ont peur de parler. En conséquence, il faut espérer que les lecteurs adultes, les responsables sociaux, et surtout les journalistes, puiseront, dans ce récit, la volonté de mettre en pleine lumière une des tares les plus honteuses de notre société: le mépris de l'enfant.

Paule Noyart
Le 10 septembre 1984

Première partie:

Une enfance de rêve

Je suis le troisième d'une famille de huit enfants. J'ai vu le jour dans le petit village de Saint-Jean-de-la-Lande, comté de Témiscouata. Un an après ma naissance, mes parents déménagent à Sherbrooke, laissant derrière eux toute leur famille. J'apprendrai plus tard que mon grand-père paternel était menuisier, comme mon père, et que mon grand-père Bouchard possédait un moulin à scie.

Nous sommes trois enfants à cette époque. Mon père doit assurer seul notre subsistance. Il est menuisier de première classe et n'aura sans doute aucune difficulté à trouver un emploi dans une grande ville comme Sherbrooke. Nous partons. C'est mon premier grand baptême de la route.

À Sherbrooke, mon père achète deux maisons sises sur le même terrain. Nous habitons celle qui est près du chemin et louons celle qui est au fond de la cour. Elle contient quatre petits logements de trois pièces et demie, non chauffés, que mon père loue vingt dollars par mois.

Nous faisons partie de la paroisse Saint-Colomban. Le curé s'appelle Rosaire Caouette. Lors de notre première rencontre, je suis vraiment impressionné par sa corpulence. C'est toute une pièce d'homme. Et que dire de sa grosse voix. Je me demande comment il arrive à nous parler du Bon Dieu, de la Sainte Vierge et de tous les saints avec cette voix de tonnerre. Ai-je devant moi un représentant de Dieu ou un ours mal léché? On verra bien. Mais je me méfie de lui. Je sens bien que mon père en a peur.

L'épicerie du père Landry se trouve juste à côté de chez nous. Je fais très vite la connaissance du bonhomme. Je cherche partout des bouteilles de liqueur vides ou des bouteilles de bière afin de les échanger contre deux cennes de bonbons chacune. J'échange une bouteille de *Dow* vide pour quinze boules noires. Quelle aubaine! Je me sens riche. Mais il me faut la permission de ma mère. Parfois, je l'obtiens, mais avec des grognements. Ma mère, comme monsieur le curé, a le commandement très sévère et surtout la claque facile. Lorsqu'elle me refuse l'entrée chez l'épicier, je n'ai pas à discuter. C'est la loi. Mon père est trop tolérant, c'est donc à elle de tenir les guides.

À l'âge de six ans, j'ai très peur de ma mère. Pourquoi? Parce qu'elle s'engueule très souvent avec mon père. Il y a de grosses disputes; c'est toujours elle qui part la bataille et c'est toujours elle qui a le dernier mot. Dans ma tête d'enfant, je me dis que si elle est capable de mener mon père, un colosse, par le bout du nez, moi, le jeune enfant, il vaut mieux que je m'incline sans discussion. Ma mère, c'est l'Être suprême.

Lorsque le moment est venu de faire mon entrée pour la première fois à l'école du centre, c'est mon frère Joseph qui va me conduire. Pourtant l'école est assez près de chez nous. Mais cela me paraît le bout du monde. Je regarde bien partout afin de me rappeler le chemin; ma mère m'a dit d'apprendre la route par coeur. Je longe une grosse quincaillerie, le marché Patenaude, ensuite il y a le marchand de télévisions. Tiens, je suis certain que celui-là c'est un marchand de pigeons: il y en a une bonne cinquantaine sur la toiture. Il y a ensuite un commerce de plomberie et puis, en dernier, un petit marchand de chaussures. C'est tout. Je suis rendu. Je la trouverai facilement, mon école.

Mon professeur est le frère Armand, de la clique des frères du Sacré-Coeur. C'est lui qui a fait la classe à mon grand frère. Mon grand frère était toujours le premier ou le deuxième. C'était, aux dires de son professeur, un élève très modèle. Mais le frère Armand ne fera pas les mêmes commentaires à mon sujet. Je ne suis ni aussi intelligent ni aussi studieux que Joseph. Je n'ai aucun talent pour l'étude. Mes parents n'acceptent pas cela; ils ont vraiment honte de moi, et ma mère me déclare: "Toi, si t'as pas assez de tête pour étudier, t'es bien mieux de fermer ta gueule à l'école et de te conduire comme du monde, parce que tu vas te faire chauffer le cul, mon espèce d'ignorant. Ti-Jos a passé dans la même classe que toi et il ne nous a jamais fait honte, lui, alors t'es averti."

On surveille donc très étroitement mon comportement à l'école. C'est à partir de ce moment que les cartes sont jetées. C'est là que se joue tout mon avenir. C'est là que mon frère Joseph devient l'orgueil de la famille tandis que j'en deviens la honte. Aux bulletins de fin de mois, je suis le sixième, le septième, le douzième même! Bien sûr que mes parents lèvent le nez sur mes notes. Et mon grand frère n'est pas très fier de moi lui non plus. Je deviens de plus en plus renfermé. Je sais qu'on va me faire payer mon ignorance. Je ne reçois d'amour d'absolument personne. Mais c'est vrai, Marcel, que tu ne mérites absolument rien... t'es pas intelligent comme Ti-Jos, toi. Allons, laisse faire.

Mes parents décident alors de prendre les choses en main. Je finis mon école à quatre heures. Il m'est strictement défendu de m'attarder en chemin. Ma mère me donne exactement quinze minutes pour revenir à la maison. Du bout de son bâton à lavage, elle m'indique quatre heures et quinze minutes sur l'horloge: c'est l'heure à laquelle je dois être rentré. Avant le souper, je fais mes devoirs sur la table de la cuisine; ma mère les vérifiera plus tard. J'ai beaucoup de difficulté à former mes *a* et mes *e*. "Toi, je te défends de te servir de ton efface; tu fais tes lettres une seule fois et tu les fais comme du monde, sinon je vais t'emmècher une claque par la tête et pis ne dépasse pas les lignes et pis prends ton bougon de crayon comme du monde. Tu vas voir, c'est moi qui vais te faire l'école, ce sera pas le frère Armand. Ti-Jos a réussi pis toi aussi tu vas réussir, ma tête de linotte." Il me vient à l'esprit de demander à ma mère pourquoi on met une efface au bout des crayons si on n'a pas le droit de s'en servir. Mais je ne prends pas la chance de lui poser la question. Mieux vaut se taire et obéir. Lorsque la mine est usée, je lui demande: "Maman, voulez-vous aiguiser mon crayon, s'il vous plaît?" Après avoir examiné si ça en vaut la peine, elle l'aiguise avec son couteau à patates.

C'est en première année que j'ai appris à développer une excellente mémoire. Très souvent, c'est mon père qui me demande mes leçons. Je me place droit devant lui, debout, et j'essaie de répondre sans hésitation. Mon père a une voix forte et souvent ma mère lui dit: "Maudit, Léopold, pas si fort, yé pas sourd, tu vas déranger Ti-Jos dans ses études." Et mon père continue à mi-voix: "Qu'est-ce que Dieu?

— Dieu est un pur esprit infiniment parfait.

— Qui a créé le ciel et la terre?

— C'est Dieu qui a créé le ciel et la terre.

— Qu'a fait Dieu le premier, le deuxième et le troisième jour de la création?..."

Et le septième jour, il se reposa.

Comme je suis surveillé de très près, mes notes deviennent meilleures. Je montre mon cahier de devoirs et de leçons à mes parents; j'ai récolté soit une étoile, soit un petit ange. J'ai dix sur dix. "Tu vois, Léopold, comme il étudie bien quand on sort le fouet!" dit ma mère, triomphante.

Il y a, en classe, sur le babillard, à la droite du grand tableau, un lot de petits Chinois. À maintes reprises, le frère Armand nous rappelle ceci: "N'oubliez pas les petits Chinois qui sont au tableau. Si vous désirez en colorier un, il vous en coûtera cinq sous. N'oubliez pas de demander de l'argent à vos parents. Vous ferez une bonne oeuvre." Et le frère ajoute d'une voix menaçante: "C'est pour la Sainte Enfance". Maudite bande de voleurs. Il faut donc que je demande de l'argent à mon père et à ma mère. Je ne connais rien à la Sainte Enfance, mais je veux avoir le même privilège que mes copains de classe. Je ne veux pas être montré du doigt pour mon refus de participer. Ceux qui vont peinturer un Chinois ont leur nom écrit et ils ont droit à une parade à l'avant de la classe. Ça représente tout un honneur. Pourvu qu'on me donne mes cinq sous.

La réponse est catégorique: il est défendu de demander de l'argent pour la Sainte Enfance. Si on en veut, il faut garder les sous des bouteilles vides échangées chez l'épicier Landry. Je me mets à pleurer quand ma mère m'annonce la nouvelle. "T'es mieux de fermer ta gueule, toi", me dit-elle. J'ai envie de peinturer un Chinois à la cachette pour pouvoir inscrire mon nom au tableau. Mais si tout à coup je me faisais pincer par le frère? Je risque de me faire noircir le postérieur! Non merci.

Lorsque j'ai de bonnes notes à l'école, ma mère me donne la permission d'aller jouer dehors avec mes frères et soeurs. Mais avant d'y aller, elle m'ordonne: "Toi, va à la toilette avant de sortir dehors. Je ne veux pas que tu chies dans tes culottes." J'ai une bien mauvaise manie qui met mes parents en furie. J'ai tellement hâte d'aller jouer que je ne prends pas la peine d'aller à la toilette et, au bout d'un moment, je me laisse aller dans mes culottes. J'admets que ça fait plusieurs fois qu'on m'avertit, mais je refuse d'obéir et, pour essayer de tout cacher, je me colle le long du mur de la maison et je pousse contre mes fesses afin d'éfouérer le tout pour que ça sèche plus vite. Mais ma mère a donné ordre à Ti-Jos, mon grand frère, de me sentir s'il a un doute et de l'aviser aussitôt. Il ne me rate jamais, car j'ai une démarche différente et je cherche à m'éloigner de lui. Alors, il comprend et avise mes parents. Quand mon père est à la maison, c'est lui qui me donne ma correction. "Viens ici, me dit-il, déshabille-toi et entre dans le bain." J'obéis. L'eau est froide et pas question de rester debout, je dois m'asseoir. Ma mère est plus sévère encore que mon père. L'hiver, elle m'oblige à passer tout l'après-midi et une partie de la soirée du samedi et du dimanche dehors, seul dans la cour, la merde au cul.

Un dimanche après-midi, je vois revenir mon père seul et bien vêtu. Il arrive de l'église où il a fait son chemin de croix. Avant d'entrer dans la maison, il s'arrête pour me parler un peu. "Pourquoi tu ne vas pas à la toilette comme les autres, Marcel?" Je suis incapable de lui répondre. J'éclate en sanglots. Il me demande combien cela fait de temps que je suis dehors, puis il entre dans la maison, l'air abattu. Je sais ce qu'il va faire. J'arrête de pleurer et, en retenant mon respir, je m'accroupis près de la porte pour écouter s'il supplie ma mère de me laisser rentrer. On ne peut me voir de l'intérieur, les carreaux vitrés sont très hauts. Pourvu que personne n'ouvre la porte! Je me ferais prendre en flagrant délit d'écouter. J'entends crier. C'est le diable qui pogne entre mon père et ma mère. Il se fait dire de se mêler de ses maudites affaires. "C'est moi qui l'élève cet enfant-là, ce n'est pas toi. Lui y va apprendre à faire comme du monde, c'est tout." Je suis crampé par le froid et par la peur d'être surpris à écouter. Je marche un peu pour me réchauffer. Rien à faire, mon père a perdu, je dois rester dehors. Pourvu que la chicane s'arrête, sinon je vais me faire détester encore plus. J'arpente la cour de long en large afin de ne pas geler.

Un jour, j'en ai assez de marcher sans rien faire. En passant près des vidanges, je trouve une espèce de bébelle qui ne m'appartient pas et je la prends. Ma mère, qui m'épie, m'aperçoit par la fenêtre de la cuisine. Elle sort dehors à toute vapeur, sans même prendre le temps de se vêtir contre le froid et me crie: "Viens icitte, toi." Je m'exécute. Elle m'administre une solide claque sur la gueule. Comme j'ai la gueule gelée, ça fait mal. Bon Dieu que ça fait mal! Je pleure comme un con. "Pas de pitié pour toi, je t'ai dit de marcher dans la cour, ça s'arrête là."

Maudit que j'aurais aimé que quelqu'un s'approche de moi pour m'expliquer ou même faire semblant. "La noire" a sûrement tout vu, mais elle ne se mêle de rien. La seule chose qui existe pour elle, c'est la télé. "La noire", c'est le surnom qu'ont donné ma mère et ma grande soeur à la locataire d'en face. Pourquoi? Parce qu'elle a les cheveux noirs comme du charbon.

Lorsque vient le temps de manger, ma mère m'appelle. "Viens souper, toi, tu retourneras dehors après." J'avale mon lunch et mon verre de *milk-o* et je me prépare à sortir de la maison jusqu'au coucher. Je regarde mon père. Je sais que ça ne lui plaît guère. Il se contente de me jeter un long regard triste tout en mastiquant, mais rien de plus. Je sais que s'il parle, s'il veut me défendre, ça va lui coûter cher. Je sais qu'il n'a pas toujours un cinq dollars pour acheter la paix.

À chaque fois que le diable pogne entre mon père et ma mère, ils se boudent pendant de longues semaines et quand mon père n'en peut plus, il interpelle ma mère et ils se rendent à la salle de toilette. Là, il lui remet un billet de cinq dollars pour qu'elle fasse la paix. Alors il retrouve sa boîte à lunch bien garnie, parce que lorsqu'ils se boudent, son estomac en prend pour son rhume.

Je rentre à nouveau et pour la xième fois c'est le bain à l'eau froide. Et qu'est-ce que j'entends maintenant de la bouche de ma mère?: "As-tu fini de te laver, le chieux?" On vient de me trouver un nouveau nom: le chieux. Mon nouveau nom, celui qui me suivra très longtemps. C'est à partir de ce moment-là que je commence vraiment à craindre ma mère. J'ai six ans.

Mon père ne dit pas grand-chose. Il interpelle ma mère et ma soeur: "Voyons Linda, appelle-le donc par son nom; pis toi Josiane, je te défends d'appeler Marcel le chieux. N'oublie pas que c'est ton petit frère." Et ma soeur de se détourner en haussant les épaules. Ça me fait mal, terriblement mal, de me voir appeler ainsi par ma mère et ma soeur. Je vais au lit et je pense à tout cela avant de dormir. Je dors avec mon frère Gustave, mais lui ne dit rien.

Je croyais être aimé de ma mère et je constate qu'une maman, c'est fait pour haïr, pour disputer, pour frapper quand elle se fâche. Une maman, ce n'est pas capable d'aimer. Dieu les a créées pour être sévères. Pourtant, elle aime mon grand frère, ma grande soeur et les autres petits qui sont nés. Elle en a l'air du moins. Mon grand frère, c'est le premier, c'est normal qu'elle l'aime plus; c'est normal qu'il soit gâté. Lui, il a une trottinette et je n'ai même pas le droit d'y toucher. Ma grande soeur, elle est la deuxième, c'est naturel que ma mère l'aime plus que moi, qui ne suit que le troisième. Les autres, ce sont des bébés, et les bébés, tout le monde les aime. Et puis, mon grand frère et ma grande soeur ne font pas dans leurs culottes. Moi oui. À l'école, ils ne sont pas distraits. Moi oui. Mon père, quand il est bleu de colère contre moi, m'appelle "le Sent-la-merde". Cela donne plus de poids au nom dont ma mère m'a baptisé. Mais jamais il ne m'appelle le chieux. C'est pourquoi je me tourne vers lui. Je le trouve moins bourreau que ma mère. C'est son amour à lui que je recherche, uniquement son amour. Je le suis partout. Je ne regarde plus que lui. Je lui obéis aveuglément, parce que j'ai besoin qu'il m'aime. Je ferais n'importe quoi pour lui. Bien sûr que j'ai peur de lui, car il est très fort. Mais c'est mon père et je l'aime d'un amour fou; il peut me faire endurer n'importe quoi.

Quoi qu'il arrive, je l'aimerai toujours.

Ce sont les vacances. Toute la famille se rend à Saint-Jean-de-la-Lande pour y visiter les oncles et les tantes, les grands-papas et les grands-mamans. Je suis fou de joie. Je m'installe derrière la chaise berçante de ma grand-mère, je lui caresse les oreilles et je flatte sa chevelure blanche peignée en forme de beigne. Tiens, voici mon parrain. Je m'assois sur ses genoux et, par gestes, je lui fais savoir que j'aimerais qu'il me donne un beau trente sous. Il me le donne et je suis content. Je n'en finis plus de la regarder cette pièce blanche; c'est comme si on venait de me donner la lune. Je n'en finis plus de le remercier, je suis au comble de la joie. Et puis, en plus, on ne m'appelle pas le chieux ici. Ma grande soeur et moi allons voir la porcherie. Nous prenons des bouts de planche et on donne la volée à tout ce qui bouge. Avant d'aller martyriser les chevaux, on saccage un champ de rhubarbe. Mais on se fait pincer par grand-mère Bouchard qui nous défend d'entrer seuls dans l'écurie. Alors on y va en compagnie de l'oncle Julien: "Vous êtes bien avertis de ne pas toucher aux j'vaux, vous allez vous faire ruer."

Sur le chemin du retour, ma grande soeur, mon petit frère Gustave et moi, nous chantons pour essayer de dégriser le chauffeur du véhicule. Mon père, n'ayant pas d'automobile, sollicite parfois le voisin pour qu'il nous transporte. Mais le type est de mauvaise humeur. Ma mère a beau lui demander de ralentir, il ne veut rien entendre. Moi, assis juste derrière lui, je lui donne des petites fraises de jardin afin qu'il se calme. Rien à faire, il a le pied pesant. Ça y est, il vient de frapper un vieux bonhomme qui s'apprêtait à traverser la rue. Je regarde et je vois le petit vieux étendu de tout son long sur l'asphalte. Les plus forts le ramassent et on l'étend sur une galerie. Rien de grave, paraît-il, il s'est seulement pété quelques os sur le rétroviseur.

Une fois par semaine, le samedi soir, ma mère nous lave les cheveux. C'est mon petit frère Gustave qui passe en premier. Ma mère le fait monter sur un banc et lui demande de pencher la tête. Mais Ti-Gus a terriblement peur de se noyer et il crie de toutes ses forces. Ma mère appelle mon père à l'aide: "Léopold, viens icitte, tiens-lui la tête en bas que je peuve le laver lui." Mon père s'approche; d'une main, il serre le cou de mon petit frère et de l'autre il lui tient la tête sur le bord du banc. Moi, je suis juste à côté de lui. Ti-Gus pleure de toutes ses forces et il crie comme le petit cochon que j'ai frappé chez grand-mère. Moi j'ai peur aussi et je me mets à pleurer et à crier; je sais que ce sera bientôt mon tour et que ma mère me dira rageusement: "Toi, ferme ta maudite gueule." C'est mon tour. Je m'efforce d'être plus tranquille que mon frère, car j'ai peur que ma mère me noie si je crie trop fort. Ce que je déteste le plus, c'est la maudite brosse en nylon. Inutile de dire à ma mère de peser moins fort. Je sais quelle sera sa réponse. Alors je me dis que la maudite brosse, je vais la passer des dizaines et des dizaines de fois en dessous du bain à pattes pour ramollir les piquants. Je l'ai fait sans que personne ne me voie, mais ça n'a rien changé. J'espère qu'on va l'user sur la tête de mon père; lui aussi, il se fait laver les cheveux et il a la tête beaucoup plus dure que la nôtre.

Nous aurons bientôt la visite de monsieur le curé. Il nous a avisés, en chaire, qu'il visiterait, cette semaine, telle et telle rue. Tout le monde se prépare. Les planchers sont lavés; tout doit reluire dans la maison. "Ne vous éloignez pas trop et ne salissez pas votre linge vous autres, je vous avertis que monsieur le curé est chez le voisin et qu'il sera ici dans cinq minutes." Cette visite rend ma mère très nerveuse. Ça lui occasionne un surplus de travail, bien sûr. Le voilà qui arrive enfin. On se précipite sur les chaises droites. Il nous jette un coup d'oeil rapide; personne n'ose répondre à ses questions. On est trop pognés par la gêne. Il parle un peu à ma mère. Puis il nous bénit et sacre son camp. "Allez vous déchanger vous autres maintenant que monsieur le curé est parti. Et pis toi, maudite corneille, qu'est-ce que t'avais à grimacer?" Moi, j'ai un tic nerveux, ma paupière gauche s'agite presque continuellement et, lorsque ma mère me voit clignoter de l'oeil, ça la met en furie. Lorsque mon père revient du travail, elle lui dit: "On a eu la visite de monsieur le curé et pis c'est encore ce maudit cornoyeux là qui nous a fait honte...", et mon père me crie, bleu de colère: "Toi, si t'arrêtes pas de grimacer, tu vas te faire botter le cul. T'as-tu compris?" Je m'éloigne de lui à toute vitesse, de peur qu'il ne me frappe. J'ai beau faire attention pour ne pas clignoter de l'oeil, c'est plus fort que moi. Alors je continue en faisant attention de ne pas être vu par mes parents. C'est ma grande soeur, cette fois-ci, qui me pince. "Regarde, Maman, le chieux grimace encore." Comme punition, ma mère m'attache un bandeau noir autour de la tête, très serré, et me dit: "Va te mettre à genoux dans le coin. Chaque fois que tu vas grimacer, c'est ça que tu vas avoir." Ce maudit coin-là, je ne suis pas près de l'oublier.

Ma mère m'envoie faire une petite commission à l'épicerie Robitaille. Ce commerce est à deux maisons de chez nous, sur le même côté de la rue, donc juste à côté de celui du père Landry.

Je m'exécute. Ne me sentant nullement surveillé, j'en profite pour voler un petit sac de *Kool-Aid* à six cennes. Je le mets dans ma poche et je fous le camp. Avec le contenu de ces petits sacs, ma mère nous fait environ deux douzaines de *popsicles*. Elle se sert du casseau dans lequel on congèle la glace. Tout est divisé en parts égales dans le compartiment. Avant de congeler, elle place un bâton de *popsicle* dans chaque trou et le tour est joué. Je trouve mes *popsicles* succulents et je sais qu'elle se sert du même produit que celui que j'ai volé. De là mon idée d'en piquer un, question de savoir quel goût il peut avoir tout nu. Mais j'ai mal monté mon coup et je me suis fait prendre. Un jour, avant de faire le lavage, elle retourne, comme d'habitude, mes poches de pantalons pour enlever toute la saleté qui s'y est accumulée, et elle y trouve les petites graines rougeâtres. "Mais qu'est-ce que c'est que ça?" Je lui réponds que je ne sais pas. L'idée lui vient alors de goûter. Me voilà pris. Je lui dis que je l'ai trouvé, ce fameux sac de *Kool-Aid*. Mais elle n'en croit rien. Elle arrête sa laveuse et ordonne: "Viens ici toi, passe dans la chambre à coucher. Mets-toi à genoux et penche ta tête. De sa main droite, elle presse ma tête sur le lit, en poussant fort afin d'éviter que je ne me sauve. De sa main gauche, avec son gros bâton de lavage, elle me frappe sur les fesses et les cuisses. Chaque fois que je mets mes mains sur mes cuisses pour me protéger, elle me crie à tue-tête: "Ôte tes mains de là ou je te tue, toi. Où est-ce que t'as pris ça? Avoue maintenant." Alors, je craque, je lâche toute la vérité. Lorsqu'elle s'arrête, je la regarde; elle est toute pâmée et blême. Un dernier bon coup de pied au cul, et je dois m'agenouiller dans le coin pendant quinze minutes, les bras en croix, face au mur. Si je descends les bras d'un demi-pouce, elle m'administre une solide claque par la tête. "Je t'ai dit de laisser tes bras en croix, mon maudit chieux de voleur."

Un peu plus tard, je dois aller m'excuser et demander pardon à monsieur l'épicier pour ce que j'ai fait. Pour s'assurer que j'obéis, elle me fait suivre par mon frère Gustave. C'est lui qui me surveille toujours dans ces cas-là. Le pauvre épicier ne comprend rien à cet événement dramatique; il me regarde sortir en me tenant les fesses.

Mais ce n'est pas tout. Il faut que je prenne un autre bain à l'eau froide parce que je me suis lâché dans mes culottes. Ma feuille de route est déjà longue à huit ans. J'étais déjà un chieux, un grimaceux, un élève paresseux et distrait, et maintenant je suis un voleur! Lorsque mon père revient du travail, ma mère lui raconte tout: "Est-ce que tu lui as chauffé le cul à mon goût à celui-là?" Et ma mère de répondre: "Je te jure que oui, mais tu pourrais lui en donner une autre, il en mériterait autant." J'ai peur et je me mets à pleurer. "T'es mieux de fermer ta gueule, mon espèce de mouron", me dit mon père.

"Comme autre punition, pas de dessert pendant deux semaines et pis ton gruau pas sucré le matin", crie ma mère. Je m'en fiche de ne pas avoir de dessert; les meilleurs desserts vont toujours aux autres, mais ça ne fait rien, je m'en offre malgré tout à la cachette. Je prends deux tranches de pain que je place dans une assiette et ensuite je renverse la mélasse à plein. Je referme les deux tranches l'une sur l'autre et je cache le tout en dessous de mon lit, tout au fond, près du mur. Attendre le moment de déguster est ma plus grande joie. J'aimerais avoir du plus raffiné, mais au moins c'est sucré.

Parfois, j'étire ma joie pendant deux jours, histoire de faire durer mon désir. C'est ça ma raison de vivre: l'attente. De temps à autre, je vais prendre une bouchée rapide et je repousse mon assiette loin sous le lit, sans que personne ne me voie, car je sais que si ma soeur me pince, ou mon grand frère, ou mon petit frère, ils me rapporteront à ma mère pour s'attirer quelques faveurs. Ensuite, je m'essuie la bouche avec la queue de ma chemise pour ne laisser aucune trace. Je ne me suis jamais fait prendre et j'en suis fier.

Mais que se passe-t-il maintenant? Je ne fais plus dans mes culottes et ma mère et ma grande soeur continuent à m'appeler le chieux. C'est pire que pire. Un soir, après le souper, ma soeur se met à chanter: *Gros Marcel tondu qui a la crotte au cul; quand il court ça balotte et quand il rue, ça pue.* Lorsque j'entends ça, je me mets à pleurer et je regarde ma mère. Elle est assise, en train de fumer. "C'est bon pour toi", me dit-elle. Mon père demande à ma soeur de se taire, mais elle refuse. Pourquoi elle m'a fait ça? Pour se venger de moi sans doute. C'est à partir de ce moment-là qu'elle est devenue ma pire ennemie.

Elle doit nous garder, un soir que mon père et ma mère sont sortis. À huit heures, elle nous ordonne, à moi et à Ti-Gus, d'aller nous coucher. On s'exécute sans rien dire, sans rouspéter, parce que ma mère le saura et vite. Mon frère s'endort et je me lève sans faire de bruit. Il y a les maudits ressorts du matelas qui grincent à chacun de mes mouvements. Il faudrait que je crache sur les ressorts à boudins pour les huiler un peu, mais il y a le matelas qui m'en empêche. Tranquillement, je descends du lit et j'ouvre la garde-robe. Tout est calme dans la maison; on entend le tic-tac de l'horloge. Je retiens mon souffle tellement j'ai peur d'être surpris et de réveiller mon petit frère. J'ouvre la porte très doucement, en prenant soin de ne pas lâcher la poignée qui fait du bruit. Nous avons toujours été sévèrement avertis que, lorsqu'on va se coucher, c'est pour dormir et non pour jacasser. Je fouille partout dans la garde-robe, à travers tout le linge, et puis ensuite sur les tablettes. J'ai trouvé! J'ai trouvé le petit pot de *Noxzema* dans lequel ma soeur dépose ses cennes noires. Elles sont à moi. Je les veux. Malheur! Le couvercle grince quand je le dévisse! Il y a exactement sept sous noirs dans la boîte. J'ai juste le temps de les compter... et j'entends: "Qu'est-ce qui fait ça?" Personne ne répond, et ma grande soeur reprend d'une voix plus forte: "Qu'est-ce qui fait ça?" Pas de réponse. elle se précipite dans notre chambre. Je saute dans mon lit, mais les maudits ressorts font un bruit d'enfer. "C'est toi le chieux? Laisse faire que je vais le dire à maman." Elle ouvre la lumière et voit son pot de monnaie ouvert sur le bureau. "Laisse faire mon maudit voleur, t'as pas fini." Elle sacre son camp en pleurant. J'ai tellement peur que je ne peux pas fermer l'oeil. Je commence à me pincer les fesses très fort, à grosses poignées, afin de les endurcir, parce que je sais ce qui m'attend.

Lorsque mes parents rentrent, j'entends ma soeur qui leur raconte tout. Il doit être minuit. Ça y est. Ma mère s'en vient ici et elle va attraper son gros bâton à lavage en passant près de la garde-robe. Elle entre dans la chambre. Je fais semblant de dormir. Elle me sort du lit en me tirant par les cheveux et me dit: "Toi, tu vas aller passer la nuit en dessous du lit et attends à demain matin; tu vas te rincer le cul, je te le jure."

Il fait glacial. Je n'ai pas de couverture et je suis paralysé par la peur. J'essaie de me changer les idées en regardant la forme ondulée faite par les ressorts, là où est couché mon frère Gustave. J'y passe la main; ça fait une drôle de courbe. Pourvu qu'il ne saute pas trop. Je me tasse un peu. Je pense aux chiens et aux chats qui, eux aussi, dorment recroquevillés sur eux-mêmes. Mais moi je n'ai pas de poil pour me réchauffer. Il faut s'y faire. Je suis coupable. Enfin, je vois le jour qui commence et je me dis: "T'as pas fini, toi, tout à l'heure tu vas y goûter, ça va chauffer ces fesses-là." Et là, je me mets à pleurer. Mais rien à faire, je suis coupable.

Je reçois ma volée et c'en est tout une. C'est à cet âge-là que j'apprends à devenir sournois. Pour ma grande soeur, je n'ai jamais assez de volées. La salope, je la déteste, mais je la crains affreusement.

* * *

Lorsque les vacances d'été arrivent, ma mère m'envoie à l'O.T.J. une ou deux fois par semaine. C'est au parc Jacques-Cartier de Sherbrooke. C'est l'époque des *popsicles* et du *vico* à cinq cennes la bouteille. Parfois, j'arrive à lâcher mon fou, mon trop plein, mais plus souvent qu'autrement, je me retrouve seul. Je suis excessivement timide et gêné. Je ne me fais aucun ami. Je ne joue avec personne. Ce qui me hante toute la journée et ce qui m'empêche de jouir de ce bon temps, c'est la peur de m'égarer. Mon corps se détend, mais mon esprit non. Ma mère nous ordonne de rester ensemble mon frère et moi, mais je le perds bien vite de vue. Ça fait mon affaire parce que je me sens un peu moins épié. J'ai l'impression que le monde entier m'en veut. Alors, j'erre ici et là, seul.

Quand je suis assis, je tiens mon siège à deux mains. J'ai peur. Peur encore de m'égarer à la sortie du bus. Chaque paroisse a son bus. Souvent, je pleure et je crie de crainte de ne pas avoir entendu le nom de la mienne. Il ne faut pas que je rentre en retard à la maison, car je serai accusé de flânage. À vrai dire, je ne fais que changer de rue et hop... je suis égaré; je n'ai vraiment pas le sens de l'orientation.

Mais je passe quand même de bons moments à l'O.T.J. Je me paie de temps à autre un coup de cochon. Un jour, je trouve une boîte à lunch remplie à craquer qui traîne dans un endroit un peu désert. Elle appartient sûrement à un camarade, mais au diable! Je l'ouvre et je pisse dedans. Tant pis pour les sandwichs et le gentil petit gâteau! Est-ce que j'en ai, moi, des gentils petits gâteaux? Je suis bien content. Ma mère n'en saura jamais rien. Pour une fois, j'ai gagné sur elle.

Je me souviens encore, comme si c'était hier de la chanson thème:

C'et le temps de l'O.T.J.
Vive, vive, vive la vie.
C'est le temps de l'O.T.J.
Les garçons y sont heureux.

À quatre heures, c'est le rassemblement; les autobus de chaque paroisse sont en attente. Je suis toujours au rassemblement à trois heures, une heure avant le départ! J'entends crier dans le haut-parleur: Saint-Boniface, embarquez; Sainte-Thérèse, Perpétuel-Secours, Saint-Colomban..." Là, je saute dans mon bus comme un crapaud.

Lorsque vient le temps d'aller se coucher, pas question d'entrer sous les draps sans se laver les pieds. Croyez-le ou non, ma mère me défend formellement de me laver les pieds dans le bain ou dans le lavabo, c'est la place réservée à mon grand frère et aux autres. Moi, il faut que je me lave les pieds dans la toilette et que je m'essuie avec une guenille qui doit, par la suite, être remisée exactement au même endroit, sur un clou dans la garde-robe, près du vieux réservoir à eau chaude. C'est comme ça à tous les soirs de la semaine.

Ce qui me fait le plus souffrir, dans toute cette histoire, ce n'est pas d'être traité différemment des autres ou injustement. À cet âge, je ne comprenais rien à l'injustice, donc je n'essayais pas de savoir pourquoi mon frère et moi n'étions pas traités de la même façon. Je souffre de tous les manques qu'on m'inflige, c'est tout. Lorsque vient l'hiver, bon Dieu que l'eau est glaciale! Je dois tirer la chasse, les pieds dans la toilette, et c'est terriblement froid. Mon frère prend le bon savon et moi, je me contente du savon que ma mère fabrique avec du caustique et de la graisse de poule. Mais je me dis que mes pieds sont moins beaux que ceux de mon frère et je m'exécute sans maugréer, mais maudite eau froide.

Le soir, on ouvre la radio pour écouter le chapelet récité par Mgr Adam du Christ-Roi, ou par Mgr Cabana, archevêque de Sherbrooke. On l'écoute à genoux par terre les mains jointes. Pas question de nonchalance, pas de gomme ni de bonbons. Mon grand frère et mes soeurs ont le droit de s'agenouiller sur une chaise rembourrée.

Il n'est pas question d'oublier de souhaiter le bonsoir avant d'aller se coucher: "Bonne nuit, bonsoir papa! Bonne nuit, bonsoir maman!" Et mon père de répondre: "Oui, bonsoir." C'est une litanie, je ne comprends rien à cette coutume. De temps à autre, je néglige de dire bonne nuit et bonsoir à ma mère. Pourquoi? Parce que je ne l'aime pas. Il y a beaucoup de révolte en moi. Alors, elle me crie par la tête: "Le chieux, qu'est-ce qu'on dit avant d'aller se coucher?" Enragé, je m'exécute; je n'ai pas le choix...

Moi et mon frère Ti-Gus, que j'aime beaucoup, nous couchons dans le même lit. On tente de se réconforter mutuellement pour oublier cette discipline très sévère. Nous sommes bons amis. On essaie de notre mieux de se protéger l'un l'autre. Moi, je couche face au mur, et mon frère dos à moi. De temps à autre, j'apporte dans le lit un vieux fuseau de fusil, ou bien mon efface au brouillon que je mâchonne.

Le mur est fait de lattes de bois et de plâtre, comme on en trouve encore de nos jours. Je gratte le plâtre défraîchi avec mes ongles. Ma mère a beau me dire de ne pas y toucher, rien à faire, je ne peux pas m'en empêcher. À chaque soir, ou presque, je recommence le même manège. Ça y est! Je réussis à traverser le mur et à passer le doigt entre deux lattes de bois.

Le soir, je vais discrètement dans ma chambre, histoire de savoir si ma mère a bouché le trou. Non, tout est intact. Je suis surpris. Elle ne parle de rien. Comme d'habitude, je fais mes devoirs et étudie mes leçons; puis vient le souper, le chapelet, le lavage des pieds dans le maudit bol de toilette et enfin la litanie: "Bonne nuit, bonsoir Papa; bonne nuit, bonsoir Maman". Puis je vais au lit avec mon petit frère.

Mais qu'est-ce que c'est que ça? Je m'approche du mur pour mieux voir... Il est extrêmement défendu d'allumer la lumière dans la chambre et ce, sous aucun prétexte. On le sait depuis toujours. La lumière, c'est fait pour mon grand frère et ma grande soeur seulement.

J'ai peur, terriblement peur. C'est moi qui couche le long du mur. Mais qu'est-ce que c'est...? Je pousse un cri. Je suis effrayé et mon frère aussi. Mais c'est moins grave pour lui car il couche de l'autre côté du lit. Je pleure comme un fou et voilà ma mère qui s'amène. Elle n'ouvre pas la lumière et me dit d'une voix orageuse: "Tu vois ce qu'il y a là?

— Oui, maman.

— Eh bien, si tu y touches, tu vas te faire mordre les doigts." C'est un rat, un gros rat noir et poilu qui est resté coincé dans le trou que j'ai pratiqué dans le mur. Ma mère m'avait pourtant dit de ne pas gratter. Je suis mort de peur. À chaque fois que je suis sur le point de m'endormir, automatiquement mes yeux se rouvrent pour regarder si le rat a bougé. Mais non! Il est à huit pouces de mes yeux. Il ne faut surtout pas bouger si je veux qu'il reste tranquille, pogné entre les deux lattes. Les seuls mouvements que je fais, c'est lorsque je pousse mon petit frère. Je manque même de le faire tomber du lit. J'ai tellement hâte d'être le matin! Cette nuit-là est une des pires nuits de ma vie.

Quelques semaines plus tard, je découvre la vérité à propos du maudit rat. Ma mère a découpé un morceau dans une vieille fourrure et elle l'a mis dans le trou avec un petit bouton pour imiter l'oeil de la bête. Je suis en fureur contre moi-même lorsque j'apprends toute la vérité sur ce rat. Maudit niaiseux, c'est comme si je m'étais vengé de moi-même!

Chaque matin, à l'exception du samedi et du dimanche, ma mère nous éveille en ôtant brutalement nos couvertures et en disant: "L'vez-vous vous autres." Mais pourquoi agit-elle comme ça? Pourquoi? Mon grand frère Joseph couche dans la même chambre et c'est tout autre chose avec lui. Elle s'approche très calmement, sans faire de bruit, elle se penche doucement et elle lui touche les épaules du bout des doigts. Parfois, elle le secoue légèrement. Je l'ai vue faire des dizaines et des dizaines de fois. Mais pourquoi a-t-elle un comportement si différent avec lui et avec ma grande soeur? Maudit, qu'est-ce que je peux avoir de si différent des autres? Qui va me répondre? Je cherche et ne trouve que ceci: mon frère ne pue pas des pieds. Mais, Bon Dieu, c'est normal, il couche presque avec son tube de *Desenex*. Je sens mauvais des pieds, d'accord, mais je n'ai que l'eau glaçée pour me laver. Autre chose: sa merde ne pue pas... Mais comment en être sûr? Je ne l'ai absolument jamais pincé assis sur le bol de toilette. Jamais!... Pourtant j'aurais voulu. Impossible. Mon frère, quand il va à la toilette, il a le privilège de barrer la porte et d'allumer la lumière. Moi non; il m'est défendu d'ouvrir la lumière et de barrer la porte. J'ai déjà essayé et je sais ce que j'ai payé. Donc, mon frère, pas moyen de savoir si sa merde pue ou non. Un jour, pour remonter dans l'estime de ma mère, il me vient à l'idée d'avaler une bouteille de parfum, afin de sentir meilleur. Mais je n'y arrive pas, ma tête tourne. Tant pis, je préfère sentir mauvais, pas question d'avaler ça.

Après le lever, on se lave le visage et les mains et on s'agenouille daans la cuisine, face au Sacré-Coeur, pour réciter notre prière du matin que l'on sait sur le bout des doigts: "Mon Dieu, je vous donne mon coeur, mon corps, mon âme, prenez-les s'il vous plaît, afin que jamais aucune créature ne puisse les posséder que vous seul, mon Bon Jésus. Bonjour mon Bon Ange, c'est à vous que je me recommande pour que vous me gardiez le jour sans danger, sans mort subite et sans vous offenser mortellement mon Dieu..." Et on continue: "Acte de foi, mon Dieu, je crois fermement tout ce que la sainte Église catholique croit et enseigne, parce que c'est vous qui l'avez dit et que vous êtes la vérité même. Au nom du Père et du Fils et du Saint-Esprit. Ainsi soit-il." Vient ensuite l'heure du déjeuner; on avale notre bol de gruau et ensuite, on part pour l'école.

En classe, la maîtresse me pousse dans le dos continuellement. "Suivez votre rang." "Ramassez vos affaires." "Silence dans la classe." Souvent, je fais du bruit exprès parce que je veux qu'on s'occupe de moi. Tiens, je découvre un truc qui, je crois, sera bon pour me rapprocher de mes camarades et de la maîtresse. Ma mère fume des cigarettes à bout filtre. Je ramasse deux filtres dans le cendrier et je les mets en poche. En les prenant, je me demande pourquoi mon père roule ses cigarettes *Buckingham* alors que ma mère fume des "toutes faites". Bah! Ça doit être parce que mon père ne mérite pas mieux. Rendu à l'école, je passe par les toilettes et je fais tremper dans l'eau les deux filtres de cigarettes. J'enlève l'enveloppe et je place chacun des filtres dans mes narines. Je fais semblant d'avoir un gros "rhume". Je veux attirer l'attention de tous ceux qui m'entourent. C'est raté. Personne ne remarque rien. Il me faut enlever les filtres avant de rentrer à la maison. S'il fallait que je me fasse prendre!

Ma grande soeur, on en prend soin, parce qu'il paraît qu'elle fait du diabète. Elle perd souvent connaissance. Presque tous les mois, il y a la dame Provencher qui vient lui porter un médicament dans un petit pot à cerises. Je suis certain qu'on lui fait bouillir du "chaton" et je regarde la touffe de fleurs que la dame a en main; on dirait une queue de chat. On lui donne aussi de la gomme de sapin. Moi, je n'ai pas de maladie. Maudite misère. J'aimerais perdre connaissance, peut-être que ce serait à mon tour de me faire cajoler. J'aimerais tant ça me faire cajoler.

Au lieu de ça, mon père me dit souvent: "Cesse de pleurer pour rien toi", et ma mère de répondre: "T'en fais pas, Léopold, c'est des larmes de crocodile." À la récréation, je ne joue jamais avec les autres. Lorsqu'on forme un petit club de baseball ou de ballon-volant, je m'éloigne; je ne veux pas qu'on me voie. Et s'il y a une petite chicane quelque part, je disparais, parce que ma mère m'a averti que si je rentrais un jour à la maison avec mon linge déchiré, je ne porterais plus que des guenilles. Le professeur ou la maîtresse ont beau me pousser dans le jeu et me faire des remontrances, je n'embarque jamais. Je me fais traiter de pisseux, mais j'aime mieux ça que de rentrer sale ou déchiré à la maison.

Nous n'avons pas de télévision. Mes parents ne sont pas riches. Parfois, mon père parle à ma mère d'en acheter une. Mais la conversation tourne toujours au vinaigre. "C'est vrai que ça va déranger les enfants dans leurs études", dit mon père. "Lorsque Joseph sera plus vieux, nous en aurons une certain. Et puis, c'est contre les moeurs d'avoir une télé. Ce n'est pas du tout bon pour les enfants", dit ma mère. Et puis, s'il fallait que monsieur le curé sache un jour qu'on a une télé, il nous ferait tout une visite... parce que monsieur le curé est contre la télé.

Nous entendons beaucoup parler de *La poule aux oeufs d'or*. On ne parle que de cette émission. Notre locataire, " la noire", a la télé. Ma mère et mon père permettent à mon grand frère et à ma grande soeur d'aller chez elle pour regarder le programme. Moi, c'est non. Non, jamais. Il m'est strictement défendu de mettre les pieds dans la maison de "la noire" et ce, sous aucun prétexte. Alors, si on me donne le droit de veiller un peu tard, je m'approche et me colle le nez dans la fenêtre pour tenter de voir cette fameuse *Poule aux oeufs d'or*. Ce que je vois ne me satisfait pas, et, en plus, ma grande soeur appelle ma mère par téléphone pour lui rapporter que je suis dans le châssis. Alors, ma mère crie: "Le chieux, viens-t'en icitte, toi." J'abandonne la fenêtre à regret. Dans ma tête d'enfant, je croyais voir une poule blanche qui pondait des oeufs en or.

Souvent, après le souper, mon père quitte la maison pour aller travailler comme menuisier à notre paroisse. Mon père, même s'il ne me prend jamais dans ses bras, même s'il ne me serre jamais contre lui, même s'il ne me dit jamais qu'il m'aime, c'est curieux, mais moi je l'aime. Je l'aime comme un vrai petit fou. Et même s'il est parfois très dur et même violent envers moi, je l'aime à la folie. Peut-être qu'au fond, je ne mérite pas qu'il me donne son amour. J'aime renifler la senteur de ses *overall*, j'aime sentir ses cheveux, j'aime sa démarche un peu lente, j'aime son tic nerveux, ses haussements d'épaules, j'aime l'entendre renifler. Parfois, il me demande, un peu fâché: "Qu'est-ce que t'as à rire tout seul, toi, veux-tu bien me dire?

— Ben, c'est parce que, Papa, moi je trouve ça drôle vous entendre renifler.'' Je ne peux détacher mon regard de ses grosses mains. Il a une paire de mains démesurées. On dirait des pattes d'ours. Son pouce est gros comme mon poignet. Parfois, je veux les toucher, ses mains, et il me repousse, comme on éloigne une mouche, sans rien dire. C'est un moyen de combattre ma peur de toucher ses mains. Je n'en ai jamais vu de pareilles. Ce n'est pas de la peau qui les recouvre, c'est comme du papier sablé.

Ma mère me donne la permission d'aller trouver mon père qui travaille à la sacristie de notre église. Je connais mon chemin par coeur et je suis certain de ne pas m'égarer. J'arrive à l'église; c'est monsieur le curé qui m'ouvre la porte. En l'apercevant, je me mets à pleurer de toutes mes forces. Mon père me demande: "Veux-tu bien me dire ce que t'as à pleurnicher encore, toi?" Et je lui réponds: "J'ai eu peur! Il y a un gros chien qui s'est mis à courir après moi et j'ai eu peur qu'il m'attrape.

— Voyons, voyons, me dit mon père, t'es pas un bébé pour pleurer comme ça; viens-t'en, ici y a pas de danger, il n'y a pas de chien.'' Il continue à travailler. Je ne le lâche pas d'un pouce; je le suis sur les talons. À chaque fois qu'il se penche pour prendre un outil dans son coffre, je suis là; je voudrais tout savoir du travail de menuisier. Tiens, par exemple, ça je le sais par coeur que c'est un pied de biche, ça un tournevis *Philips*, ça une queue de rat; oui, c'est vrai, c'est la même couleur qu'une vraie queue et ça a la même forme longue et étroite.

Je suis content d'être à la sacristie avec mon père. Il ne sait pas que je lui ai conté une blague. C'est pas vrai que je pleurais parce que j'avais rencontré un gros chien. C'est faux cette histoire. J'ai tout inventé... Je pleurais parce que ma mère m'oblige à porter une maudite casquette à palette. La palette est trop longue et je la déteste. Je trouve que j'ai l'air fou. À l'école, on se moque de ma casquette. J'ai beau le dire à ma mère, mais elle n'entend rien. Il faut que je la porte. J'ai honte, terriblement honte. Je voudrais l'enlever avant d'arriver en classe, je voudrais oublier de la porter à la récréation, mais mon frère, le bavard, dira tout à ma mère. Pourquoi m'oblige-t-elle à la porter? Parce que je ne l'aime pas. Si j'y avais pensé, oui si j'y avais pensé, je lui aurais dit: "Maman, je l'aime comme un fou ma casquette, je ne voudrais même pas l'enlever en classe." Là, je suis certain qu'elle l'aurait fait disparaître.

Mon père n'ayant pas d'auto, nous avons tous les deux fait ensemble le chemin du retour à la maison, main dans la main. Ce que je me sens bien, la main dans sa grosse main. Souvent, il me rappelle que je dois marcher la tête haute et regarder droit devant moi, mais moi, je veux le regarder marcher. Je veux faire des aussi grands pas que lui. C'est comme si tout mon corps était dans sa grosse main.

Chez nous, dans la cave, on a des rats. Un beau jour, mon père va chercher une trappe à rats pour en finir avec cette histoire de rongeurs. Je le regarde faire. Il place un petit morceau de viande à la bonne place et il fait ensuite monter le ressort. Puis il le dépose tranquillement par terre. Il m'avertit de ne toucher à rien, parce que je vais y goûter si je touche.

Un soir, je descends à la cave tout seul et j'enlève le couvercle de l'égoût auprès duquel je place doucement la fameuse trappe. Ensuite je vais m'asseoir dans l'escalier de la cave. Je veux voir un rat vivant. J'attends pendant quelques minutes et j'en vois un qui sort. Là, j'ai la chair de poule; je ne bouge plus et puis on dirait que ça me pique partout. Mais pas question de broncher, je ne veux pas perdre le rat de vue. J'ouvre la bouche pour mieux respirer et je regarde mes bras. J'ai l'épiderme plein de picotements et le duvet qui se tient tout droit. Il est trop tard pour partir. Je suis figé par la peur. Ça y est!... Le gros rat est pris dans la trappe. C'en est tout un. Il ne bouge plus d'un poil. Je fous le camp. Je te jure que je fais des pistes pour arriver en haut; j'ai les jambes aussi rapides que celles de Joe Maléjac. Je ne dis rien à personne. Plus tard, mon père demande à chacun de nous s'il veut aller vérifier la trappe à la cave. C'est non. Personne ne veut y aller. Nous avons tous peur. Alors il nous regarde tout droit dans les yeux et dit: "Voyons donc, vous êtes des peureux. C'est moi qui va y aller. Vous savez pourtant bien que les gros ne mangent pas les petits. Vous ne ferez jamais des hommes." Joseph, Josiane, moi et puis Sylvie, on regarde mon père qui se lève tranquillement en haussant les épaules. D'un air orgueilleux, il descend les marches de la cave. Ma mère lui crie d'un ton moqueur: "Léopold, envoie le chieux, lui il est rien que bon à ça", et mon père de lui répondre: "Voyons Linda, appelle-le donc par son nom une fois pour toutes." Tous nous suivons papa de très près en arrière de lui, mais ma mère me crie: "Toi, viens-t'en icitte, t'as pas d'affaire là; t'es trop ignorant pour aller perdre ton temps en bas, va apprendre tes leçons." À chaque fois, je dis bien à chaque fois que je veux me payer un petit peu de bon temps à la maison, je me fais couper court par ma mère!

Rendu à la cave, mon père se rend compte qu'on a enlevé le couvercle. "Qui a fait ça?" De ma chaise, face au mur, je l'entends parler fort. Il est en furie. "Cherche donc, lui dit ma mère, c'est peut-être ton chieux qui a fait ça." Après tout, j'ai déjà deux crimes à mon actif: le coup du

Kool-Aid chez l'épicier et le coup du pot de change de ma soeur.

Je ne leur ai jamais avoué que c'était moi qui était descendu dans la cave. Je l'ai vu, mon rat, et je me suis bien rincé l'oeil. C'est avec des histoires comme celle-là que j'ai appris, tout seul, à en finir avec mes peurs. Parce qu'il ne fallait pas compter sur mes parents pour ça. Eux autres, tout ce qu'ils savaient faire, c'était punir, refuser, interdire. Et ma mère, elle voyait le mal partout. Un soir, alors qu'elle était en train de faire son souper près du poêle, elle tombe de tout son long en mettant le pied sur un jouet. Je suis près d'elle et je m'éloigne à toute vitesse lorsque je la vois étendue par terre. Au lieu de l'aider, je recule. Les autres enfants pleurent et ils sont tous là à son secours, ainsi que mon père... Moi, je ne bronche pas et je reste les yeux secs. Pourquoi? Je veux bien te le dire si tu veux te donner la peine de me lire. Je t'affirme avec véhémence que si je ne t'ai pas aidée, ce n'était pas seulement parce que je te détestais. C'est pour la raison qui va suivre. Lis-la avec les yeux de ton coeur, s'il t'en reste un peu. C'est parce que j'ai été scandalisé, bouleversé et totalement perdu lorsque j'ai vu tes jarretières, ton sous-vêtement blanc et puis tes cuisses. Je me suis senti coupable jusqu'au plus profond de mes os d'avoir vu ça. Il nous était défendu de regarder des cuisses de femmes et tu le sais toi, tu le sais. C'est ce que tu nous a toujours dit de ne jamais regarder. Et moi, j'avais tout vu. Mais comment te dire ça, maudit bon Dieu, pour que tu comprennes? Tu discutais seule à seule avec Josiane dans sa chambre; tu discutais avec Joseph mais pourquoi, je te demande, pourquoi pas avec moi? C'est pour ces deux raisons que je me suis sauvé lorsque tu étais étendue par terre. Lorsque j'allais étendre le linge, tu me répétais constamment que je n'avais pas d'affaire à regarder ce que tu portais comme sous-vêtements. Aurait-il fallu que je l'étende les yeux fermés, ton linge? Ah! je sais, ça ne vaut pas la peine de discuter avec moi; je ne suis pas intelligent et je ne suis qu'un "maudit chieux de marde". Et bien, petite maman chérie, à mon tour de te dire merde.

Nous avons de la visite. Ce sont les deux petites soeurs de ma mère. Elles sont religieuses toutes les deux. Ce qui m'étonne à chacune de leurs visites, c'est cet énorme chapelet qu'elles portent à la taille, avec des grains aussi gros que des noisettes. Elles ont des souliers pareils à ceux de ma mère. Il n'y a que la couleur qui les différencie. Et puis là, chacun son tour, on se place en ligne, maladroitement. C'est la sempiternelle litanie des baisers qui commence. Vraiment, j'aurais le goût d'aller me cacher en dessous du lit tellement je déteste les baisers de mes tantes. Je pars à toute vapeur me cacher pour éviter l'accolade, mais je me fais rappeler à l'ordre par mon père: "Voyons toi, va dire bonjour aux matantes religieuses." Alors, j'y vais, les deux fesses serrées. Impossible d'y échapper. Mon Dieu que ça me fait drôle de me faire baiser, sur la bouche à par ça, par deux religieuses. Je suis à un cheveu de leur demander pourquoi elles ne se marient pas si elles aiment tant ça les baisers.

Après le dîner, les deux religieuses sont toutes exténuées de nous voir laver la vaisselle, mon petit frère Gustave et moi. "Regarde si c'est beau de les voir , s'écrie l'une d'elles. Ils ont l'air de deux vrais petits anges." Mon frère et moi, on se regarde en pleine face et on éclate de rire. Ça fait chouette vraiment, ma mère et ma grande soeur ont sorti mon prénom des boules à mites. Maintenant, on m'appelle Marcel. Et puis on a gagné une image. Mes tantes religieuses nous ont donné une image du Pape Pie XII. À part les baisers, c'est l'euphorie totale parmi nous tous lorsque nous recevons de la visite. Il y en a qui arrivent de très loin. Ils demeurent presque tous dans le bas du fleuve... Cabano, Notre-Dame-du-Lac et Ste-Rose-du-Dégelé. J'ai un oncle qui est marchand de légumes. Nous l'aimons comme de vrais petits fous. Il nous fait des blagues continuellement. Mais je n'aime pas du tout ma tante. Je ne lui parle jamais. C'est la soeur de ma mère. Elles se ressemblent trop et je la crains. Elle aura beau tenter de m'approcher, mais pas question. C'est une pincée.

Après le départ des petites soeurs, la routine reprend. Cela m'a permis de me réchauffer le coeur mais maintenant, je dois "reprendre mon trou", comme dit ma mère.

Mon père écoute parfois à la radio, en compagnie de son épouse, *Un homme et son péché*, pendant que nous faisons nos devoirs. Quand j'ai fini, je dois prendre "ma" chaise de cuisine et aller étudier mes leçons, la face tournée vers le mur. Dans mon coin, toujours le même. Ce coin, je le connais par coeur; je m'y retrouve absolument à chaque soir et même parfois le samedi et le dimanche. Pourquoi le coin? Parce que ma mère n'aime pas que je lève les yeux pour regarder ailleurs. Je dois regarder uniquement mon livre d'étude, sans me laisser distraire. Souvent, "j'étudie" dans la pénombre; ma mère ne veut pas que j'ouvre la lumière et souvent elle me crie: "Maudit chieux, lève ton livre plus haut si tu veux voir quelque chose et pis lève-toi la tête, espèce de dos rond."

Tout près de mon coin se trouve la porte qui mène au sous-bassement; à ma droite, il y a l'entrée arrière. Mon mur n'a pas deux pieds de large et, juste au dessus, se trouve le thermostat et la photo de grand-papa et grand-maman. C'est donc là que je passe des centaines d'heures à "étudier". Et si je me fais surprendre à me distraire ou encore à me tourner, je mange de ma mère une solide tape sur le côté de la tête. Je m'embarque sur ma chaise vers sept heures trente pour en décoller vers neuf heures trente. Il y a des moments où je me trouve assis là et où je ne sais quoi faire pour passer le temps. Un jour, j'ai inventé un petit truc pour que ma mère ne me dise plus que j'ai le dos rond et la tête dans le fourchon. Le thermostat qui contrôle toute la température de la maison se trouve à moins de deux pieds de ma tête, alors je souffle en dessous pour faire grimper l'aiguille. Parfois, j'entends ma mère qui crie à mon père: "Maudit, Léopold, on gèle icitte dedans". Et mon père s'approche tout près en arrière de moi pour vérifier le thermostat. Je suis content de sentir mon père en arrière de moi. Je me sens super-protégé parce que lui, je sais qu'il ne me frappera jamais par derrière. Mon père n'est pas un lâche pour s'attaquer à nous par derrière. Et je lui dis, chaque fois qu'il s'approche: "Papa, voulez-vous que je me dérange un petit peu pour vous faire plus de place?" Je défie celui qui trouvera sur cette planète quelqu'un qui aime son père autant que moi j'aime le mien. Jamais je n'ai été pincé pour ce truc-là; et je l'ai pourtant fait souvent. Et puis aussi, la grosse fournaise partant lentement, j'ai fait geler et gueuler ma mère bien des fois. Mais j'éprouve un profond regret pour ce que j'ai fait, car c'est mon père qui essuyait la colère de ma mère. C'est lui qu'on accusait d'abaisser le thermostat pour ménager son huile. C'est lui qui avait l'air d'être le coupable.

Ça parle au diable. Ma mère, elle aussi, a trouvé un truc. Je lève la tête et je vois qu'elle a enfoncé une petite épingle juste à gauche du contrôle de la température, histoire de savoir si c'est mon père qui baisse la chaleur. Je suis bien content. Mon père est sorti du jeu. Elle saura qu'il n'est pas coupable. Alors, je continue à souffler sur le thermomètre. pauvre petite maman chérie, si t'avais su... Je serais sûrement passé sous ta botte.

Vers neuf heures, papa me demande mes leçons. Il prend ma géographie et me questionne sur ce que j'ai appris. Je me place en avant de lui, à environ trois pieds, debout et droit. Un autre soir, c'est l'histoire du Canada ou l'histoire sainte. Je me souviens des questions:

"Qui a découvert l'Amérique?

— Christophe Colomb.

— Quelle est la capitale du Canada?

Là, je m'écrie: "Ottawa!"

Lorsque mon père voit que je ne réponds plus, ou mal, il me prend le bout des doigts et je mange un solide coup de bâton dans le creux de la main. Un soir, il m'ordonne, de sa grosse voix, d'aller lui chercher un couteau. Je me dis: "Il va me tuer." Je lui présente, en pleurant et tout affolé, un couteau de boucherie. "Non, me dit-il, amène-moi un couteau ordinaire." J'aurais fait un million de pas pour me rendre au tiroir à couteaux. Je suis pogné par une forte envie de pisser, et je traîne pour faire écouler le temps, dans l'espoir que la colère de mon père s'apaisera. En pleurnichant et en tremblant de toutes mes jambes, je lui apporte le couteau. Il le pogne par la lame et me frappe avec la poignée. Je suis sauvé d'une mort! La volée au manche de couteau, ça me chatouille presque. Mais je me force malgré tout à pleurer et je simule la grosse souffrance.

La volée au couteau revient de temps en temps. Mais un soir que je donne encore des mauvaises réponses, mon père descend à la cave et remonte avec une petite lanière de cuir bleu d'environ quinze pouces de long. Pendant quelques semaines, j'ai droit à la "volée au prélart". Ça me pince les doigts et le creux de la main; il y va de toutes ses forces, cependant ce n'est rien pour moi en comparaison du bâton à lavage.

C'est à cause de moi si ma mère est souvent de mauvaise humeur. Les plus jeunes, Lorraine et Louise, en souffriront un peu. Mais pas Joseph et ma grande soeur. Eux, ils sont intouchables. "Laisse-le tranquille, dit mon père à ma mère. Il a eu sa volée, alors donne-lui son dessert comme aux autres. Cet enfant-là n'est pas si pire que tu le penses. "Toi, mêle-toi donc de tes affaires et occupe-toi de ce qui te regarde une fois pour toutes", s'écrie ma mère. Ça y est. Encore le diable qui reprend à cause de moi. Mon père a voulu me défendre et c'est lui qui va se faire bouder pendant un bon trois semaines. Et, pour finir, ce sera la même promenade à la chambre de bain avec la remise du billet de cinq dollars pour faire la paix. "Pas de dessert, pis ton gruau pas sucré le matin, pis tu vas manger ton pain sec pour une maudite secousse toi, je te le jure." Cette chanson-là, je la connais par coeur et je suis certain que je ne vivrai pas assez vieux pour l'oublier.

Aujourd'hui, c'est un jour nouveau et, pour moi, un jour nouveau, c'est une nouvelle loi. À partir de maintenant, en plus de me laver les pieds tous les soirs dans la toilette, en plus de garder mon bandeau autour de ma tête pendant une heure si je grimace, je devrai me laver le "dessous des bras" à tous les matins et à tous les soirs avec une vieille guenille et je devrai m'assécher avec la même guenille toute détrempée. Pas question de tricher, je serai surveillé par ma mère ou ma grande soeur, mon grand frère ou Gustave. "Si tu oublies une seule fois de te laver, toi, tu vas avoir un bon coup de bâton et t'es bien averti. Mon maudit chieux, tu vas plier ou tu vas mourir, tu vas apprendre qu'icitte t'es pas à l'école." Celle-là, je la sais par coeur. Et au moindre faux bond, à la moindre petite bêtise, je mange soit une claque sur le côté de la tête soit un bon coup de bâton.

À la maison, on me tient constamment dans la peur. Mais je me défoule un peu à l'école. Bien sûr que j'ai parfois des joies, c'est certain, et j'en cite une: avant d'aller me coucher, mon père me demande au moins une fois par semaine de lui frotter le bas du dos avec du *Capsolin*. C'est ma plus grande joie; ça me permet de reprendre contact avec lui. Ça me permet de le toucher. C'est important pour moi de toucher mon père. Ni mon grand frère, ni ma grande soeur ne veulent faire ce travail. C'est moi et c'est parfait. Je n'ai pas de dédain pour mon père et je m'exécute à chaque fois qu'il le demande. De temps à autre, assis sur sa chaise et penché en avant, il me dit: "Pèse un petit peu plus fort, mon Marcel". Et j'y vais de toutes mes forces. Je suis tellement heureux de le soigner! Ensuite il me dit d'aller me laver les mains à fond pour enlever ce qui reste entre mes doigts; mais l'eau est tellement froide que j'y vais vitement et me fais jouer un tour par le fameux *Capsolin*. Les mains mal lavées me brûlent comme du feu. C'est moi aussi qui court les *Antalgines* lorsqu'il a mal à la tête. C'est moi aussi qui lui enlève ses gros bas de laine. Et sans lever le nez!

Mais qui c'est celui-là? ...C'est un nouveau-né. Eh oui, c'est mon petit frère. Mais où ma mère l'a-t-elle pris? Je ne sais pas. Je ne sais rien à propos des nouveau-nés. Jamais, au grand jamais je n'aurais pensé qu'il sortait de la même panse que moi. Jamais je n'ai vu ma mère plus grosse. Je ne sais pas d'où il sort. On va fêter l'événement en compagnie d'un vicaire d'une autre paroisse, et, en même temps, on va commémorer l'intronisation du Sacré-Coeur.

La photo de Notre-Seigneur est placée dans un coin et on l'entoure de fleurs. À chaque soir, lorsqu'on s'agenouille pour réciter le chapelet, c'est devant cette image encadrée et éclairée d'une faible lumière. Ma famille vient de se faire un ami de prestige en la personne d'un abbé. Mon père nous présente à ce nouveau venu: "Celui-là, monsieur l'abbé, je pense que je vais faire un prêtre avec lui; il va au Séminaire. Tiens, celle-là, je pense en faire une maîtresse d'école et puis Marcel, lui je vais essayer de faire un boucher avec lui; il n'aime pas l'étude. Assoyez-vous monsieur l'abbé." C'est tout un honneur pour mes parents d'avoir un ami prêtre. Cette petite réjouissance fait mon bonheur. Moi aussi je vais goûter au bon dessert de ma mère. Et l'atmosphère sera plus détendue. Quel honneur et quelle joie de voir pénétrer cet invité de marque dans la maison à tous les samedis soir. Nous aimons tellement ça que lorsque l'abbé saute la clôture, nous devenons aussi tristes l'un que l'autre. Mais il va sans dire que le visiteur occasionne des frais supplémentaires en nourriture. En tous cas, je ne l'ai jamais vu entrer à la maison avec sa boîte à lunch! De plus, il lui faut son *Abénaquis*, et mes parents ne sont pas très riches. Pour lui, on sort la plus belle nappe, la belle argenterie, et les plats sont bien garnis. Devant ce visiteur, je perds mon surnom et je m'appelle Marcel. Ça fait beaucoup plus smart.

Avant que l'abbé arrive à la maison, ma mère vient me voir et me dit: "Toi, tu sais que tu n'as pas de dessert, tu manges tes patates et ta viande comme tout le monde et ensuite tu sors de table." Je dois simuler que je suis très satisfait et il faut que cela passe bien aux yeux de l'abbé. Et pas question de rester à table pour attendre mon dessert parce que le lendemain matin, on me l'aurait fait cracher, vomir. Ça j'en suis sûr. Durant la veillée, si ma mère passe du bonbon, je dois dire: "Non, merci!" Il me faut dire non, car je sais ce qui m'attend si j'agis différemment. Quelle hypocrisie! Quelle sournoiserie!

* * *

L'été arrivé, c'est le temps des pèlerinages, des sorties et des balades. Mon père n'ayant pas d'auto, on loue une voiture. Bien sûr, notre visiteur l'abbé possède une automobile de l'année, mais c'est bizarre, quand mon père et ma mère lui demandent de nous amener à Beauvoir ou au Parc Jacques-Cartier, notre abbé hésite. À chaque fois que la question lui est posée, il fait toujours la même réplique: il sort son stylo, prend un bout de papier et demande à mes parents combien nous faisons sur la balance. Notre abbé ne veut rien entendre, même par groupes de deux ou de trois. Ensuite, ce sont les pneus, l'usure de la voiture, etc. Ils sont tous pareils ces apôtres de l'église!

Pendant ce temps-là, mon père travaille à se faire mourir pour nous faire un solage à la maison. Pas question de prendre de la machinerie lourde, on n'a pas les moyens. Souvent, monsieur le curé s'arrête près de la maison avec son auto de l'année, une belle *Biscayne* blanche et brune. Il faut avoir du front tout autour de la tête pour nous stationner ça près de la porte. Et combien, monsieur le curé, avez-vous payé mon père pour les travaux exécutés pendant de nombreux soirs afin de "chromer" votre sacristie? Une poignée de change et parfois pas un sou. C'était pour payer la dîme... Et combien de fois avez-vous argumenté avec mon père lorsqu'il vous demandait un reçu pour fin d'impôt? Nous n'avions pas un maudit sou noir et vous aviez le culot de profiter de nous. Laissez-moi avoir mes dix-huit ans, monsieur le curé, et je sortirai de votre église. Vous êtes un minable exploiteur au même titre que notre visiteur l'abbé. S'il fallait que je dise tout haut ce que je pense au sujet de ces deux "apôtres," je serais excommunié. Alors je ne dis rien; mon père nous a toujours enseigné de ne jamais rien dire des prêtres. "Ce sont les représentants de Dieu..." Je me demande si je suis le seul à penser ainsi dans la famille. Pas question de parler de ça avec ma grande soeur, j'ai peur qu'elle aille me rapporter à ma mère. C'est elle maintenant qui est la grande maîtresse de la maison. C'est à ses ordres que je dois obéir sans jamais rouspéter. Elle a même le droit de me gifler et de me pincer. Elle a aussi l'autorité de corriger et de veiller sur la bonne conduite de mes petites soeurs Lorraine et Louise. Elles aussi doivent passer sous sa botte. Et combien de fois cette salope m'a-t-elle fait manger des volées. Je n'en finirais pas de les décrire.

Donc, c'est entassés les uns par dessus les autres que nous nous rendons le dimanche à Beauvoir. C'est-y possible! Nous sommes, avec le chauffeur, onze dans le taxi et, en plus, je transporte à chaque fois une partie du Canada. Pas question d'aller à Beauvoir pour me divertir. De temps à autre, j'emporte les fleuves de la mer avec ma géographie, ou l'arche de Noé avec mon histoire sainte. Arrivé là-bas, je sais par coeur ce que j'ai à faire: me retirer à part, seul sur un banc, s'il y en a de disponible, et apprendre mes leçons, parce que le soir, mon père va me demander de lui réciter ce que j'ai étudié. Je me souviens de ce petit poème que j'ai appris en cinquième année:

Ô terre, ouvre au soleil tes yeux lourds de sommeil,
Voici qu'un jour vermeil t'apporte un clair réveil;
Les champs murmurent.
L'onde, fleuve ou rosée inonde la campagne féconde
Où le blé vient au monde.
Sur le sol ranimé par la chaleur de mai,
L'air passe, parfumé

De joie et de clémence.
Et le travail immense
Des choses recommence.

Adjutor Rivard

Une bien triste nouvelle. Ma mère vient de recevoir un appel d'un oncle qui demeure dans le bas du fleuve. C'est grand-maman Bouchard qui vient de mourir. Ma mère voudrait bien se rendre au service de sa mère, mais nous sommes en hiver et mon père ne travaille plus et c'est loin Saint-Jean-de-la-Lande. J'entends mon père discuter avec elle et je me dis tout bas: "Envoye Papa, pousse la à Saint-Jean-de-la-Lande, moi, je serais fou de joie de la voir disparaître pour quelques jours, envoye Papa, trouve donc de l'argent, et puis moi, je vais pouvoir manger à mon goût. Ne me fais pas rater cette joie, je serai tellement content." J'ai tellement peur que ça ne fonctionne pas que je deviens tout triste. Mais ça marche. Elle va y aller. Que je suis heureux. C'est le plus beau cadeau que Dieu puisse me faire. J'entends mon père qui dit à ma mère: "Ma femme, s'il faut emprunter, nous allons emprunter et puis prépare-toi, je t'embarque sur l'autobus de sept heures. Vas-y voir ta mère."

Il me faut à tout prix cacher ma joie. Pas question de changer d'attitude extérieure. Mais intérieurement, oui, je jubile de joie. Bientôt ce sera la fête. Bientôt je serai libre. Bientôt je pourrai jouir un peu plus de la vie. Ma mère me dit: "Toi, tu t'habilles et puis tu vas à l'épicerie faire une commission." D'un air piteux, je m'exécute, mais il y a ma grande soeur salope qui passe près de moi et qui me demande d'un ton sec: "Marcel, es-tu content que maman s'en aille? —Bien non, voyons donc" lui dis-je, mais cette fois, j'ai les larmes très loin. Ma mère, qui a entendu, me dit: "Toi, t'es bien mieux d'écouter Josiane pendant que je ne serai pas ici." Et ma soeur ajoute: "Sinon quand maman reviendra, tu vas te faire chauffer le porte-crotte." Et là, mon père de répondre: "Voyons donc, Josiane, tu commences déjà à faire ta "boss"."

48

En route pour l'épicerie, je me demande si ma grande soeur salope ne m'a pas deviné. Mais advienne que pourra. De retour à la maison, je dépose la commande sur l'armoire et je remets tout le change. Comme ma mère le fait d'habitude, elle compte tous les articles et la monnaie afin de savoir s'il ne lui manque pas d'argent. Moi je n'ai rien à me reprocher, je laisse faire. Tout à coup, elle me crie: "Le chieux, viens icitte. Il manque une piastre juste là-dedans et puis tu vas me dire où elle est." Je proteste de toutes mes forces, je ne sais absolument rien et je ne l'ai pas perdue, cette piastre. Ma mère me fait retourner mes poches afin de savoir s'il n'y aurait pas un trou et là, elle se met à pleurer.

Je suis figé par une peur qu'il m'est impossible de décrire. Ma mère dit à mon père: "Ce maudit-là, il m'a perdu une piastre et je n'ai pas d'argent pour aller en bas de Québec." Elle pleure, la mortalité de sa mère aidant, face à la monnaie que je lui ai remise. Cette fois, oui, cette fois j'aurais aimé que quelqu'un me tue par derrière pour enlever de mes yeux ce spectacle affreux et gratuit. Mon père me demande si j'ai compté la monnaie et je lui réponds que non. Il me soulève de terre et me jette contre le mur. Alors, ma mère appelle chez l'épicier pour lui demander des comptes. Elle est plus calme, et l'épicier lui répond que lorsqu'il fera sa caisse, à cinq heures, il sera en mesure de dire s'il y a un surplus d'une piastre.

Comme de fait, à cinq heures, le téléphone sonne et le commerçant dit à ma mère qu'il vient de faire son *cash* et qu'en effet, il a trouvé une piastre de trop. C'est encore moi qui vais la cueillir cette maudite piastre qui m'a tant fait mal.

Bon Dieu, qu'on a bien mangé pendant les cinq jours où ma mère a été absente! On a sûrement vidé une grosse pinte de mélasse et le gros morceau de baloné que mon père a acheté, on lui a payé toute une traite!

* * *

Cette année encore, ma mère choisit le sapin de Noël. Elle le prend tout près de mon école, et il lui coûte soixante-quinze sous; c'est toujours un des plus beaux. Pour nous, c'est l'euphorie totale ce temps de fêtes. La discipline fait un peu relâche. Même si mes parents ne sont pas très riches, nous aurons droit à un cadeau. Il y a une tante célibataire du bas du fleuve, tout récemment déménagée à Sherbrooke, qui nous comble de présents. Je l'aime comme un fou ma tante: elle apporte beaucoup de joie à la maison, mais ce qui me déplaît c'est qu'elle m'offre toujours des morceaux de linge, soit une cravate avec un noeud artificiel, soit une paire de bas, ou des gants, ou des mitaines, ou pire, des mouchoirs! Moi, les mouchoirs, je les donne à mon frère parce que jamais je ne me moucherai, jamais là-dedans. Pas question. Souvent ma mère me crie: "Vas donc te moucher au lieu de manger ta morve toi." Mes mouchoirs je les "perds". Et puis, moi, je sais ce que c'est les mouchoirs, parce que j'aide ma mère à faire le lavage. De temps à autre, je retire de la grosse laveuse le mouchoir rouge à petits pois de mon père. Je te dis qu'il est pas beau à voir. Et je dis: "Maman, il y a encore de la "glue" dans le mouchoir à papa.

— Laisse-le laver, pauvre imbécile."

Alors, me promener avec mon "motton de morve" dans le fond de ma poche ou sur la fesse, ça ne me dira jamais rien.

Puis c'est la messe de minuit. Mon père nous donne à chacun un sou noir pour qu'on le dépose dans la bourse du petit ange qui nous fait un sempiternel "oui" de la tête. Pour le distraire en attendant les autres enfants, je lui demande si le petit ange n'a pas mal au cou à force de faire des signes de tête. Ensuite, c'est la distribution des cadeaux. Il y a tellement de cris de joie dans cette maison que je crois qu'on y entendrait même pas un coup de canon. On se marche presque sur les doigts pour aller chercher nos cadeaux. Je regarde mon père qui semble tout heureux et j'ai une forte envie de pleurer, mais je me sens très fort. Ça me coupe en deux de voir qu'il ne travaille pas souvent et qu'il nous donne quand même des présents et de bon coeur. Mon père, je l'aime beaucoup trop, à tel point que je me rends malheureux. je passe mon temps à le regarder. Je l'admire, je l'aime et je l'adore, oui, encore plus que le petit Jésus dans la crèche. J'aimerais ça le posséder, l'avoir à moi tout seul. J'aimerais aussi un tas de choses pour lui. Mais ce ne sont que des illusions. Quand je regarde ma mère, il n'y a rien, absolument rien qui se produit en moi. Même pas un petit pincement de coeur. En cette nuit de Noël, je la trouve pourtant un petit peu plus belle que d'habitude. Je trouve qu'elle ne se ressemble plus du tout lorsqu'elle se met du rouge à lèvres. Celui-ci est d'un rouge vif. Bien sûr que je l'aime un petit peu plus telle qu'elle est présentement. Qu'est-ce qu'il peut bien y avoir de changé sur sa personne? J'ai trouvé; elle a enlevé ses souliers de soeur, ceux que j'appelle les souliers à "botter le cul". Elle porte des talons hauts. J'aime beaucoup ça lorsque ma mère se pomponne et lorsqu'elle se met du rouge à lèvres; je trouve qu'elle a l'air beaucoup moins maligne. Je lui en ai fait la remarque et elle trouve ça drôle. Si elle pouvait être toujours comme ça!

Pour une rare fois, elle s'assied sur les genoux de mon père. Nous les enfants, on trouve leur comportement drôle parce que nous ne sommes pas habitués à les voir aussi près l'un de l'autre. Moi, je n'ose pas trop les regarder, ça me gêne beaucoup. Mais est-ce que cette paix va durer? C'est comme s'il ne le fallait pas.

Vient ensuite le Jour de l'an. Je le déteste. Oui, vraiment je le déteste de toutes mes tripes. C'est toujours du pareil au même. C'est le moment de "serrer la main et de donner des baisers". Je suis tellement gêné et mal à l'aise que je sens la sueur qui me coule là où le dos perd son nom. C'est papa maintenant qui me donne la main: "Voyons toi, regarde-moi au moins, as-tu peur que je te mange? Je te souhaite du succès dans tes études!" Bien, cette chanson, je la connais par coeur. Et puis là, j'ai la chienne au derrière, c'est maman maintenant. J'ai les paupières très lourdes. Je suis incapable, et ce à chaque Jour de l'an, de la regarder. "Bonne année Marcel, et pis du succès dans tes études". Celle-là, elle va bien à tous les écoliers et nous la connaissons tous par coeur! Ensuite, je m'approche pour baiser ma mère. Vraiment ça me fait drôle d'embrasser ma mère. Je le fais par moeurs une seule fois par an. Non, jamais à sa fête personnelle, ni à la fête des Mères ni à Pâques. Un baiser par an, pour moi c'est correct. Et puis pas à ma fête personnelle non plus, ça encore bien moins. Puis je donne la main à Josiane; je voudrais m'ensauver, mais ma mère m'ordonne de m'exécuter. En tout cas, elle, pas de baiser, ça c'est juré, promis et craché. Elle me fait trop disputer, ma gardienne. Je n'ai jamais ressenti un brin d'amour ni un brin de sincérité dans cette cérémonie du Jour de l'an. On devrait la rayer du calendrier. Mais il faut le faire, c'est la loi. Et ensuite, on s'agenouille pour recevoir la bénédiction paternelle.

Vers l'âge de onze ans, je commence à servir la messe à ma paroisse Saint-Colomban. Ma mère me lève le matin à six heures et vingt en me retirant les draps d'un coup sec. À sept heures moins vingt-cinq, je pars pour mon église. Quelle joie! Je m'approche de Dieu! J'ai ma soutane pareille à celle de monsieur le curé et mon surplis blanc toujours bien pressé. Je dois savoir par coeur toutes les prières en latin. Je sers la messe de sept heures avec mon grand frère. La première semaine, je sers à gauche de mon curé, parce que je ne suis pas trop connaisseur, mais l'autre semaine, je sers à droite, et cette fois, seul. Je reçois chaque foix dix cennes, que je donne à ma mère. Le dimanche, pour la grand-messe de neuf heures et demie, c'est vingt-cinq cennes. Ce que j'aime le plus, c'est quand je porte l'encensoir à mon curé. Il y a, à l'intérieur de celui-ci, une pastille. Pendant que je tiens le cordage, le curé dépose une espèce de cendre par dessus la pastille. Bon Dieu que ça sent bon! J'en imprègne ma soutane de cette odeur.

De temps à autre, je sers les Vêpres. Mon travail consiste seulement à répondre aux litanies: *"Ora pro nobis."*

Vient ensuite le temps du carême; toutes les statues et même le crucifix sont cachés par un voile bleu marin. Ça sent la tristesse à plein nez. Le Samedi saint, c'est le Lavement des pieds. J'ai lu dans mon petit missel que ce samedi, Notre-Seigneur a lavé les pieds de ses douze apôtres et j'ai une peur bleue que monsieur le curé nous lave les pieds à son tour. C'est ma plus grande préoccupation. Cette journée-là, j'ai envie de fondre. Monsieur le curé va-t-il prendre un bassin? Va-t-il utiliser du savon? Et quel genre de serviette? J'ai terriblement honte de mes orteils. Mais nous avons seulement dû enlever nos souliers. Ouf!

Monsieur le curé a très mauvais caractère. Je ne le vois jamais rire. Un matin, il me demande d'un ton sec: "Chose, est-ce que tu sais tes prières parfaitement?" Et il ajoute: "Chose, si tu ne les sais pas, je vais rappeler ton frère et puis tu t'arrangeras." Monsieur le curé est une espèce de brute. Pas de pardon, pas de pitié. Tu dois servir la messe à la perfection. "Chose, mets ta soutane, la messe commence bientôt." Monsieur le curé, je vous dis aujourd'hui que si j'avais eu un peu moins peur de vous, je vous aurais répondu que "Chose", c'est le cul d'un sauvage. Il n'y a personne parmi tous les fidèles qui joue au brave avec monsieur le curé. Tous les paroissiens le craignent et, avec lui, on marche gauche droite. Monsieur le curé, il a une pogne de fer. Il faut le voir lorsqu'il se présente en chaire pour nous sermonner. Ses deux grosses mains nerveuses frappent durement le bord de la chaire et on entend toujours la même rengaine: la dîme, les troncs, les lampions, les bancs. C'est pas fameux, sans oublier la quête du dimanche. Et pis, monsieur le curé ne rate jamais ceux et celles qui arrivent en retard à la messe et ceux qui partent après la communion. Il pointe sévèrement du doigt les retardataires. Le dimanche, il se place en arrière de l'église près de l'entrée pour "accueillir" à sa façon ceux qui sont en retard. Pas question d'entrer à l'église en *hot pants*; les femmes qui ne sont pas coiffées du chapeau ou du mouchoir n'entrent pas non plus. Monsieur le curé, c'est une vraie bête sauvage. Un matin, pendant la messe, je lui porte la buvette d'eau et de vin et je lui demande à voix basse où peut se trouver la guenille pour s'essuyer les mains. Je le regrette aussitôt! J'aurais dû savoir que ce linge s'appelle le manuterge. Je lui demande ce que c'est une messe "diacre sous diacre". "Tu demanderas à ton frère Chose, Chose."

Le jour de Pâques, j'ai droit à mon dessert le midi et le soir. À l'annonce de cette nouvelle par ma mère, mon père est fier de moi. En plus, l'après-midi, nous avons droit à une cuillerée de tire d'érable et ma mère nous remet à chacun un oeuf de Pâques. "Mangez-le tout de suite" nous dit-elle. Mais mon petit frère Ti-Gus cache le sien dans le fond de la garde-robe, et, quelques jours plus tard, quand il va le rechercher, ne le trouve point et rapporte le tout à ma mère, pleurant tant qu'il peut. "Mais qui a fait ça? demande-t-elle, qui a volé l'oeuf à Gustave? Y-a-t-il quelqu'un qui va répondre? Le chieux, viens-t-en icitte. Est-ce que c'est toi qui a volé encore?

— Non, ce n'est pas moi." Je suis le suspect numéro un. Ça prend un coupable, alors c'est moi que ma mère accuse. Mais je n'avoue rien. Et ma mère de me dire: "Viens ici. Tu vas avouer, le chieux!" Elle me place la main droite ouverte sur le bord du poêle, du côté du réchaud, et me frappe avec son bâton de lavage de toutes ses forces en me disant: "Avoue, maudit voleur!" Je crie à fendre l'âme. Ensuite, elle m'attrape par un bras et me frappe sur les fesses et les cuisses tant qu'elle peut. "Avoue!" me crie-t-elle. Je craque; j'avoue tout. Ce maudit oeuf, il m'a coûté cher! En plus d'une volée, pas de dessert pour deux semaines et "le matin au déjeuner, t'auras ton gruau pas sucré pendant deux semaines."

Ce n'est que plusieurs années plus tard que j'ai remis sur le tapis l'affaire de l'oeuf de Pâques. Celui qui a fait le coup, c'est mon frère Ti-Gus, celui-là même qui m'a fait manger la maudite volée. J'ai avoué un crime que je n'avais pas commis et le coupable, c'était le plaignant!

À chaque premier vendredi du mois, nous faisons, le chapelet à la main, la queue leu leu devant le confessionnal. Tous sauf mon grand frère. C'est ma soeur Josiane qui a le contrôle. On entre au confessionnal: "Bénissez-moi mon père, parce que j'ai péché... Je me confesse à Dieu et à vous mon père... Ça fait un mois que je me suis confessé, j'ai reçu l'absolution et j'ai fait ma pénitence... Mon père, je m'accuse de..." Je ne sais jamais quoi avouer d'une fois à l'autre. Il me faut m'accuser de quelque chose, mais de quoi bon Dieu? Je me dis que je vais le faire exprès à l'avenir de commettre des péchés, pour ensuite avoir à me faire pardonner quelque chose. Ai-je manqué à la charité? Je n'ai jamais un sou, pas même pour barbouiller un petit Chinois. Ai-je dit du mal de mes camarades de classe? Je ne parle à personne, ou si peu. Ai-je manqué la messe le dimanche? Non, si je l'avais fait, je me serais fait dévisser la tête. Ai-je eu des mauvaises pensées? Non, mais ça viendra. Ai-je lu des mauvaises revues? Non, mais ça viendra aussi, parce que ma sexualité, je devrai l'apprendre quelque part ailleurs qu'à l'église et ailleurs qu'à la maison. Me suis-je découragé? Oui, mais c'est tellement humain. J'ai tenté de me pendre, mais mon fil n'était pas assez fort pour me supporter. Ai-je rougi de paraître chrétien? Non jamais. Je suis fier d'être chrétien et je n'ai pas peur de l'affirmer.

Plus j'avance en âge, plus j'ai de la difficulté à être sage en classe. Je suis indiscipliné, paraît-il. Aux dires de mes parents, je suis le plus cancre et le plus mouron de la famille. Le mouton noir, tiens. On me le fera payer, mais avant, il faut couper dans les dépenses quelque part, parce que ça coûte cher de recevoir notre soupeux, l'abbé. Il faut couper pour compenser. Ça y est, on a trouvé. Ma mère a trouvé. On coupera dans la salle de toilette. On coupera un service essentiel et hygiénique pour alléger les dépenses. Pour que notre abbé continue à manger ce qu'il y a de meilleur, pour qu'il continue à être comme un roi dans son royaume. Ma mère nous coupe donc, à moi et à mes deux petites soeurs, le papier de toilette. Nous devrons désormais — moi surtout et je suis surveillé de très près —, après avoir été à la toilette, nous torcher avec de vieille "tribune". C'est ma petite soeur qui a la tâche de tailler la gazette presqu'à tous les cinq jours. Notre "nouveau" papier à torcher mesure six pouces sur huit et c'est précis. Adieu le doux papier de toilette, pour nous trois naturellement. Pas pour mon grand frère ni pour ma grande soeur, oh non, jamais! Mais pour le maudit chieux, cancre et mouron, oui. Et je n'ai droit qu'à un seul morceau de gazette à la fois, pour éviter de boucher le bol. Ensuite, il me reste à me laver les doigts au savon *Barsalou*. Il m'est strictement défendu, sous peine de mort presque, de me laver avec le savon des autres, supérieur par sa qualité, son efficacité et son odeur.

Notre abbé va à la toilette à sept heures et demie. Tout le monde le sait; on connait son horaire parfaitement. Il n'est pas question de laisser traîner la fameuse boîte de papier à torcher "nouvelle mode". Il faut absolument, et ce sur ordre très strict, soustraire cette boîte à la vue de notre héros. C'est ma petite soeur qui a cette tâche. Elle doit aussi, avant l'heure fatidique, mettre de l'ordre sur les étendoirs des serviettes et vérifier si tout est impeccable. Après le passage de notre invité à la toilette, tout sera remis en place.

Je me souviens que cet invité n'a jamais été à la toilette deux fois dans la même soirée, à quelques exceptions près. Dans ma tête d'enfant, je me disais que monsieur l'abbé avait un cul spécial. J'étais, à quatorze ans, encore bien nono et un jour, sachant très bien qu'il ne me frapperait pas, je lui ai demandé s'il devait, pour aller à la toilette, enlever toute sa soutane. Je n'ai pas eu de réponse. Rien qu'un sourire moqueur et débrouille-toi avec ça.

On reçoit le bulletin d'école le vendredi. En plus du détail des notes de la semaine, il y a une appréciation sur le comportement général de l'étudiant. Il y a une colonne pour la conduite, une autre pour l'application et une autre pour le silence. On y lit ceci: A: Excellent; B: Très bien; C: Bien; D: Passable; E: Mal. Une fois, je me retrouve au bout de la semaine avec un

"E" en conduite et un "D" en silence. Bon Dieu, cette fois je vais y goûter.

Lorsque je remets mon carnet à mon père, parce qu'il faut qu'il le signe sans faute, il me dit de sa grosse voix: "Va-t'en dans ta chambre et déshabille-toi tout nu." Inutile de dire que je pleure et je ne peux décrire ici tout ce qui s'est passé dans ma tête entre le déshabillage en règle et l'attente de la grosse volée à coups de strappe.

"Es-tu prêt?" me crie-t-il.

— Non, lui dis-je en pleurant. Il ne me reste que mes bas à enlever".

Et ma mère de répondre: "Attends pas que j'aille te les enlever tes bas, mon écoeurant." Et je crie à mon père: "Je suis tout nu, là."

Mon père se lève et il me semble encore entendre frapper ses grosses bottines sur le plancher. Il prend son temps. Je sais qu'il est dans la chambre de bain et que la strappe dont il se sert pour effiler son rasoir est suspendue sur la pôle à débarbouillettes. Il fait le tour de toutes les pièces pour fermer les portes des chambres, sans doute pour étouffer le bruit. Le suspense dure; je pleure et je tremble comme une feuille au vent. Il demande, mon sale bourreau que j'ose appeler mon père, à mes frères et soeurs d'aller jouer dehors pour une dizaine de minutes. J'entends tout. Mes frères et soeurs répondent qu'ils aiment mieux étudier. De sa voix haineuse, il dit: "Je ne veux pas en entendre un pleurer." Parce que souvent, lorsqu'il me maudit une raclée, mes frères et soeurs pleurent. Tout le monde est averti. Il entre dans la chambre, la strappe dans la main gauche et me dit: "Mets-toi à genoux par terre, à cheval." J'obéis. Je voudrais mourir, vraiment. Il se place debout, sa jambe gauche et sa jambe droite serrées de chaque côté de mon torse. Il est sens contraire à moi. Ça y est, j'y goûte à la strappe. Je crie à fendre l'âme. Je l'entends respirer, mon bourreau; son souffle devient court tant il frappe. C'est fini. J'ai toutes les difficultés du monde à me relever. "Habille-toi maintenant. À l'avenir, tu fermeras ta gueule à l'école. Si t'es pas capable d'apprendre, au moins ferme ta gueule." Je suis pâmé de douleur lorsque ma mère ajoute: "T'en fais pas! Ne serre pas ta strappe, la semaine prochaine il va recommencer. C'est un maudit sans-coeur."

Toutes les portes s'ouvrent. Personne n'ose parler. Il est environ huit heures. Je m'habille et m'en retourne étudier mes leçons sur ma chaise de bois, la face tournée contre le mur. Mes larmes coulent encore et bon Dieu, j'ai de la difficulté avec mon oeil. Il chauffe. J'ai beau l'essuyer de ma main droite, ma vue est embrouillée. Mais je laisse tomber, je ne parle de rien.

Avant d'aller au lit, mon père me demande poliment de donner un cirage avec de la graisse *Palmer* sur ses grosses bottines. Il me le demande avec beaucoup de douceur. Je le regarde, mon père, et il me semble qu'il n'est pas méchant. Et puis là, quand je passe tout près de lui, il me regarde d'un oeil attristé. Puis, sur un ton sec, il me dit: "Viens donc ici toi un peu. Penche-toi." Il est assis sur sa berceuse. Il pose sa main gauche sur ma tête. Je suis tellement heureux que j'éclate en sanglots. De son pouce, il me lève la paupière et dit: "Mais qu'est-ce que tu as à l'oeil toi? T'as du sang dans l'oeil. Mais qui t'a fait ça?" Non, jamais mon père ne m'a frappé avec sa strappe à cet endroit. Jamais. "C'est maman qui m'a administré une volée dans le visage." Mon père devient bleu de colère. La chicane éclate entre mes parents. Et c'est encore ma faute. Et puis, au bout du compte, c'est moi qui écope. Ma mère me rebaptise. J'hérite d'un autre surnom: Charogne. Et ma grande soeur salope peut ainsi en faire usage sans avoir rien à se faire reprocher. Charogne! "Viens icitte, Charogne." "Fais ça, Charogne." "Viens souper, Charogne." "Ferme ta gueule, Charogne." Ce surnom, il me collera au cul jusqu'au jour où je déciderai de fuir ce que j'ose appeler la maison familiale. Mais, lorsque ma famille se retrouve en présence d'un invité de marque, tel l'abbé, un oncle ou une tante, alors on m'appelle Marcel!

Peut-être que je ne mérite pas d'être le fils de parents justes. Peut-être que je mérite qu'on me traîne dans la boue.

Mais mon trop plein, il me faut bien le lâcher quelque part. Alors où? À quel endroit précis puis-je me défouler? Le soir, je n'ai même pas une heure pour jouer avec les autres. De toute façon, je ne veux fréquenter personne, j'ai trop peur d'être mal vu, mal accepté; j'ai peur qu'on me rejette, que quelqu'un monte un coup contre moi. Voilà, très précisément, ce que je vis à cette époque.

Je suis le seul qui accepte de donner une fois par semaine un bon cirage à la graisse *Palmer* aux grosses bottines de mon père. Je m'assieds par terre, je les place sur une gazette, et je frotte de toutes mes forces en regardant mon père. Souvent, j'attire son regard, C'est vraiment merveilleux. Je me contente de tout ramasser dans son regard. Et bon Dieu que je les cire ses grosses bottines! Notre amour l'un pour l'asure s'étirera jusqu'au lendemain matin: lorsqu'il les remettra, il pensera à moi. Je prends soin de ses bottines comme on prend soin de ses plus beaux bijoux. Moi seul, je lui enlève ses gros bas de laine, sans jamais avoir un haut le coeur, sans jamais lever le nez. À chaque dimanche après-midi, il fait sa sieste. Alors moi, ma soeur Lorraine ou Sylvie, on se dispute notre "proie". À tour de rôle, nous arrachons ses cheveux blancs; ensuite, nous lui grattons l'intérieur des oreilles et puis, avec la grosse brosse à cheveux, nous lui frottons chacun des dix doigts. On gagne un cinq cennes blanc pour ce travail. Aussitôt mon père endormi, nous nous précipitons dehors pour le dépenser. Mais ma mère nous crie qu'il n'est pas question de gaspiller le cinq cennes. On doit le garder pour s'acheter des pointes de plume à l'encre à la procure de l'école, au coût d'un sou chacune.

Le samedi soir, monsieur l'abbé vient souper. Il apporte parfois sa grosse enregistreuse *Grundig*. On a du plaisir. Ma mère, excellent cordon bleu, prépare souvent du gâteau à l'ananas; chaque trou d'ananas a sa cerise. L'abbé nous fait écouter Soeur Sourire avec sa chanson: *Dominique s'en allait tout simplement, en tout chemin et en tout lieu, il ne parle que du bon Dieu.* On entend aussi: *Le Seigneur est mon berger, rien ne saurait me manquer,* ou encore la chanson de Raymond Lévesque: *Quand les hommes vivront d'amour.*

Chaque fois que monsieur l'abbé me regarde, je deviens rouge comme une tomate, je suis gêné. Je le regarde, je regarde sa longue soutane noire et son col romain et je me demande s'il est fait comme moi là-dessous. Je le scrute comme à la loupe. Il s'amuse avec nous autres les enfants en nous faisant toutes sortes de grimaces. On le trouve très drôle et vraiment unique en son genre. Il porte toujours, comme le curé, les mêmes bas noirs et les mêmes souliers. J'aurais aimé ça qu'il me montre ses orteils, juste pour voir. Il n'a pas l'air de porter de chemise sous sa soutane. J'ai beau regarder dans ses manches, je ne vois que des bras nus. Il doit avoir un épiderme à l'épreuve du froid. Jésus s'habillait-il comme ça aussi? On ne le saura jamais.

Souvent, je l'entends répéter cet espèce de poème, et à force de l'entendre et de voir mon grand frère tenter de le répéter, je finis par l'apprendre par coeur moi aussi:

> *Dis-moi gros gras grand grain d'orge*
> *Quand te dégrogragrandgrain-d'orgeras-tu?*
> *Je me dé-gros-gras-grand-grain-d'orgerai*
> *Quand tous les gros gras grands grains d'orge*
> *Se seront dé-gros-gras-grand-grain-d'orgés.*

Don de Dieu que j'aime sa visite. Cela me fait un bien énorme. On fait relâche un tant soit peu. Je respire beaucoup mieux. Les visites de monsieur l'abbé sont ma raison de vivre, ma planche de salut. Devant lui, on m'appelle Marcel. Ma mère et ma grande soeur sortent mon prénom des boules à mites et ça sonne vraiment drôle à mon oreille. Il me semble que ce nom ne m'appartient plus.

Il faudra encore couper dans les dépenses. Mon père est souvent sans emploi et nous sommes dix autour de la table. Il y a aussi ce dernier né que nous avons failli ne jamais connaître; il s'appelle Maurice. Un jour, ma mère s'est présentée au confessionnal et monsieur le curé n'a rien voulu entendre. Pas question d'arrêter la famille. Ma mère a eu beau lui dire qu'elle est à bout de souffle; le curé l'a menacée de la sortir de son église. Donc, pas question de refuser à son mari. Ce n'est que plusieurs années après que ces propos m'ont profondément choqué. J'ai fait serment, si un jour je fondais un foyer, de décider avec ma femme du nombre d'enfants que nous aurions. Quant à monsieur le curé, je l'attends de pied ferme. Je me chausserai d'un soulier pointure cinquante extra-large et super pointu et je le sortirai de chez moi sans discours inutiles.

Mon petit frère, je l'aime bien. C'est souvent moi qui le nourrit et je lave ses couches dans le bol de toilette. C'est Lorraine qui reçoit l'ordre d'aller l'amuser. Combien de fois ai-je entendu ma mère lui crier: "Toi, va amuser Maurice et pis t'es mieux de ne pas le faire pleurer".

Ma grande soeur salope est de plus en plus gâtée. Un beau matin, elle décide qu'elle ne mangera plus ses croûtes de pain. Alors, c'est moi qui devrai les manger! Comme ça, on fera une économie appréciable avec les quelques tranches qu'on ne me donnera pas. Il me semble encore voir en avant de mon assiette ces maudites croûtes. J'y vois distinctement les empreintes laissées par les dents de ma soeur. Souvent, j'en ai des haut-le-coeur, alors je refuse d'avaler, mais ma mère m'oblige. Le matin, je prends les croûtes, je les coupe en morceaux et je les mélange dans mon bol à gruau. Ça fait drôle au goût. Parfois, ça goûte le *sans-o*, le cordon bleu ou le beurre de pinottes. Mais pas de discussion. Ça coûte cher de recevoir monsieur l'abbé et il faut bien couper quelque part. Ma grande soeur, j'ai envie de la donner à bouffer aux rats.

Il y a un gros mobilier de plus dans le salon. Ça fait bien longtemps que j'entends mon père discuter de l'achat d'un meuble stéréo avec mon grand frère et notre abbé. Et un beau jour, la décision a été prise.

Passons à cette histoire incroyable mais pourtant vraie.

Mon père a une confiance inébranlable en monsieur l'abbé. Monsieur l'abbé, pour nous tous, c'est du solide. Nous ne l'aimons pas, nous l'adorons. On sait que c'est un prêtre d'une très grande valeur. Il n'y a personne qui oserait douter, ne fût-ce qu'une fraction de seconde, de son honnêteté. Ainsi, un soir, mon père se rend, avec mon grand frère, à la chambre de monsieur l'abbé à l'Archevêché. Le super meuble stéréo est là. Il est la propriété de monsieur l'abbé depuis quelques mois. C'est un mobilier importé directement d'Allemagne, un *Saba*. Il est fini en placage de cerisier. Il paraît que c'est la Cadillac des stéréos. Et en plus, il est muni d'un chercheur de postes automatique. C'est un mil neuf cent soixante. Et aux dires de notre abbé, les produits allemands sont imbattables.

C'est ainsi que mon père achète, au prix de mille dollars, ce stéréo usagé. Il paraît que notre abbé a payé ce meuble beaucoup plus cher. Jamais notre abbé n'oserait nous voler. Mon père n'a pas d'argent pour payer, mais l'abbé lui dit "Ce n'est pas grave. Vous me payerez tant par semaine ou tant par mois et vous pouvez l'amener tout de suite si vous voulez." Je n'ai jamais vu mon père aussi heureux; il est fou de joie. "C'est sûrement un meuble qui doit friser les quinze cents dollars, dit-il. On a fait une bonne affaire." Et il conclut en disant: "Monsieur l'abbé, c'est un saint homme." En avant la musique!

C'est la belle époque des Eddie Osborne et Mitch Miller et je vous jure que ça tourne. Mon père nous défend strictement de toucher à son meuble, exception faite de ma grande soeur et de mon grand frère. Il s'ensuit une discussion entre mon père et ma mère quant à savoir qui devra époussseter le précieux mobilier. Chez nous, c'est ma petite soeur Lorraine qui époussette, mais mon père lui défend de toucher au stéréo, de peur qu'elle fasse des égratignures. Alors ce sera Joseph qui fera le travail.

Dix-neuf ans plus tard, j'entreprends des recherches concernant la provenance de cet appareil. J'ai une bonne raison de le faire, j'en possède un semblable. J'écris en Allemagne chez le manufacturier, mais je ne suis pas satisfait de la réponse. Je pousse plus loin mes recherches et je retrouve enfin l'importateur de ce type d'appareils pour le Canada. C'est un Allemand qui demeure dans une petite municipalité des Cantons de l'Est, Sutton, un monsieur Bengle. C'est de lui que j'apprends toute la vérité. "Donc monsieur Bengle, vous vous souvenez d'avoir vendu un de vos appareils stéréo à un prêtre du nom de Réal Légaré?

— Ah! oui, je me souviens très bien de ce prêtre. J'ai fait affaire avec lui quelque fois.

— Mais est-ce que vous possédez encore le livre d'instruction pour que je puisse le voir?

— Attendez, assoyez-vous ici, je vais voir." Le voilà qui revient avec la brochure. Je l'examine et m'écrie: "C'est celui-ci, oui, c'est bien cet appareil que mon père a acheté. Dites-moi, cher monsieur, combien vous aviez vendu cet appareil au prêtre?

— Celui qu'on voit ici?

— Oui.

— Je lui ai vendu huit cents dollars.

— Vous êtes sérieux?

— Très sérieux. Je l'ai vendu à ce prix-là. Je m'en souviens très bien; d'ailleurs je peux vous le prouver."

Pourquoi, monsieur l'abbé, avez-vous fait ce coup à mon père? Pourquoi? Pourquoi avez-vous profité de son amitié? Pourquoi avez-vous volé un homme qui avait dix bouches à nourrir et qui n'avait pas un sou? Mon père ne vous a-t-il pas accueilli tous les samedis soir, durant des mois, pendant une bonne dizaine d'années? Saviez-vous qu'il vous prenait pour un saint?

J'ai trouvé un nouveau truc pour me distraire à l'école. À la droite de mon pupitre, il y a un trou d'environ un pouce et demi pour remiser mon encrier. J'ai un bureau avec un panneau qui s'ouvre sur le dessus. Je vais faire un peu de grabuge. J'ai des grosses et des petites billes que j'ai gagnées en jouant à *kisser*. J'ouvre mon pupitre et je place trois ou quatre manuels scolaires les uns par dessus les autres, à côté du trou de l'encrier. Ensuite, j'y appuie une règle striée sur laquelle je fais glisser les billes droit dans le trou de l'encrier. Elles vont choir, avec un bruit intolérable, au fond de mon pupitre. Ça fait comme des petits coups de canon. Je voulais attirer l'attention de mes camarades et du professeur et j'ai réussi. Le prof m'a foutu dans le passage pour la fin de l'après-midi. Tiens, voilà le frère Félix, le directeur. Il fait son inspection en se fourrant le nez sur les portes des classes pour voir si tout va bien. Je l'épie sans broncher, sans respirer, pour éviter tout bruit. J'attends qu'il s'éloigne un peu pour pénétrer dans mon casier afin de me cacher. Mais le grand six pieds au visage maigre, gros comme une échalotte, se tourne et m'aperçoit presqu'entré dans le mur. Il crie très fort: "Comment, c'est encore toi qui es-t-icitte?

— Oui, frère directeur.

— Qu'est-ce que t'as fait encore?, me demande-t-il, enragé noir.

— J'ai fait du train avec ma règle, frère directeur."

Il m'attrape par un bras et me pousse au milieu du passage où il m'ordonne de rester. Oh! là là. Je n'ai pas fini. Il est environ trois heures et les classes finissent à quatre. Le frère directeur sacre son camp. Il reviendra une demi-heure plus tard pour vérifier si je suis accoté quelque part. Je reste en place. Je compte les minutes et les secondes, je sais que je vais y goûter. À quatre heures, mon petit frère Ti-Gus, qui est sur le même étage que moi, m'aperçoit. On se regarde tous les

deux. Il s'approche et me dit: "Je vais le dire à maman."
Pauvre imbécile, elle le saura, même si tu ne parles pas, parce
que je resterai une demi-heure après la classe pour incon-
duite. À quatre heures et quart, je dois être à la maison pour
laver le plancher. C'est ma job de tous les soirs en arrivant de
l'école.

Mais, ce soir, je ne suis pas là à quatre heures et quart
pour laver mon plancher. J'arrive une demi-heure plus tard.
Bien sûr, mon frère Ti-Gus a parlé, car c'est à lui qu'on a
confié la jolie tâche de me surveiller. Je rentre à la maison. Je
raconte à mon père et à ma mère ce que j'ai fait. "J'ai fait
du train avec le trou de mon encrier dans mon bureau.

— Avec quoi?, me demande ma mère.

— Avec des billes.

— Où t'as pris ça?

— Je les ai gagnées en jouant.

— C'est pas vrai, maudite charogne, tu les as volées, t'en
avais pas." Elle m'administre une taloche par la tête, j'essaie
de me protéger avec les bras comme je le peux. Non, je ne
pleure pas, je suis trop énervé et trop pogné par la peur et, de
toute façon j'y suis habitué à ses grosses maudites taloches.

"Soupe, toi, et ensuite tu vas avoir ta volée" me dit mon
père. Et ma mère ajoute, bleue de colère: "Non, jamais, il
ne soupera pas. Va t'asseoir sur ton tas de marde, la face
contre le mur et étudie tes leçons en attendant." Quand je
passe près de mon père, il me fout un coup de pied au cul.
Personne ne dit rien.

Je n'arrive pas à étudier. Mes jarrets commencent à
s'entrechoquer. J'ai un livre d'école ouvert sur les genoux et je
le regarde. Impossible de me concentrer. J'entends ma mère
qui s'en vient vers moi à pas de course. Je ne la vois pas parce
que je fais face au mur. "Comment fais-tu pour étudier le
livre sur les genoux, toi? Relève ton livre et tiens-le droit dans
tes mains, maudite face de cochon." Elle me tire par les deux
oreilles et me secoue la tête fortement. Là, j'ai pleuré comme
un fou; mes oreilles ont craqué.

Il y a une de mes soeurs, Lorraine, qui pleure de voir ce qui se passe. Mon père crie à ma mère. "Lâche-le Linda!" Elle s'en retourne bleue de colère et toute pâmée et dit à ma petite soeur qui pleure: "Toi, mange, pis cesse de brailler."

J'ai une oreille qui me fait plus mal que l'autre. Je n'ose pas y toucher. Je n'ose pas y toucher, de peur d'être aperçu. Le souper terminé, ma mère me dit: "Viens laver la vaisselle, Charogne." Tiens! on a coupé le savon à vaisselle maintenant; ça coûte cher. Il faut mettre de l'eau beaucoup plus chaude dans le plat à vaisselle et laver avec du savon *Barsalou* ou du *Sunlight*. Je dois me mettre les mains dans l'eau bouillante. Pas question de pousser la vaisselle sur le bord du plat avec la navette. Ma mère vient vérifier si l'eau est bien chaude. Sinon, je mange une maudite claque par la tête et je dois recommencer sous sa surveillance. Ce savon est tellement gras qu'il graisse la vaisselle plus qu'il ne la nettoie. Quand j'ai fini, ma mère jette un coup d'oeil sur le savon. "Comment, maudit, t'as laissé le savon dans le plat à vaisselle? Il a diminué.

— Non, je l'ai enlevé tout de suite.

— Pas vrai, maudit menteur, regarde le savon, il est tout mou." Et je reçois une claque sur la gueule pour cet oubli. L'épaisseur du savon est mesurée à l'oeil par ma mère avant et après chaque lavage de vaisselle.

Le soir du grabuge à l'école, mon père me dit: "Passe dans ta chambre et déshabille-toi tout nu. Vous autres, (mes frères et soeurs), allez étudier vos leçons.

— Et maudit, pas encore ce soir!" C'est ma grande soeur qui a rouspété. Elle est tannée de m'entendre crier, brailler quand je mange la volée. Ma mère lui répond: "On va le dompter, maudit, ou bien il va mourir cet écoeurant-là."

Je suis dans ma chambre, en train de me dénuder. Ma mère arrive; je reconnais ses pas. je prends mon temps pour étirer l'affaire. Elle entre dans la chambre et me dit: "Moi, je vais te déshabiller." Puis elle appelle mon père: "Léopold, il est prêt, viens ici, le bâton est déjà dans la chambre, je l'ai apporté."

Mon père fait le tour afin de fermer les portes des chambres. Il arrive et me dit: "Mets-toi à cheval proche du lit." J'obéis. Il se place sens contraire à moi. Ma mère me retient de sa main gauche, un bras dans le dos et, de sa main droite, maintient ma tête sur le lit, face contre le matelas. C'est parce que je crie et que je pleure très fort. Ça y est, le grand moment est arrivé. Le bâton s'abat sur mes fesses et bon Dieu que j'y goûte. Vu que je ne peux me protéger les fesses avec les mains, je lève une jambe et tente de coller mon pied où mon père frappe. "Ôte ton pied", me crie-t-il tout pâmé. Je l'enlève. Au coup suivant, je le remets pour tenter de me protéger. Ça y est, j'ai mangé un solide coup de bâton dessus. Et ça continue jusqu'à ce que mes parents en aient assez. Enfin, c'est terminé. Mon bourreau est essoufflé et ma mère me relâche, très satisfaite. Je n'ai dérangé personne par mes cris, ceux-ci étaient étouffés par le matelas.

"Habille-toi maintenant, me dit mon père, si t'es pas capable d'avoir des bonnes notes à l'école, tu vas cesser de déranger la classe. Et puis toi, Linda, tu vas lui donner son souper comme les autres maintenant qu'il a eu sa volée." Et ma mère de lui répondre: "Non, monsieur, il n'en est pas question; il va se passer de souper. Il aura deux tranches de pain sec, c'est tout ce qu'il mérite, ce morveux-là."

Je sors de la chambre à coucher en pleurant et, quand je passe près de la cuisine, ma mère me garoche les deux tranches de pain par la tête. L'une d'elles tombe sur le divan et l'autre sur le plancher. "T'es mieux de ramasser ton pain, toi ma maudite charogne." Mais mon père, cette fois, ne le prend pas. Pour lui, j'en ai eu assez avec deux volées. "Christ, tu vas le rendre fou cet enfant-là; je t'ai dit de lui donner son repas, est-ce que t'as compris?" Alors, ça y est, le diable qui reprend encore entre mon père et ma mère. J'aurais voulu dire à mon père de se mêler de ses affaires, parce qu'il va me faire plus de tort que de bien s'il parle en ma faveur. Mais je n'ai pas droit de parole. Je m'en fous, moi, de manger deux tranches de pain sec. Ma mère se met à pleurer. Ce n'est pas du tout beau à voir. Il y a quelques-uns de mes frères et de mes soeurs qui se rassemblent autour d'elle pour la consoler et c'est encore moi qui est la cause de tout ce trouble.

En plus d'avoir de la difficulté à m'asseoir sur mes fesses, j'ai de la misère à marcher. Je marche, non pas sur la pointe, mais sur le côté du pied qui a été frappé. Ma mère me dit: "T'es mieux de marcher comme du monde, toi, mon écoeurant. Si tu brises tes souliers, tu iras à l'école nupieds." J'essaie de marcher normalement mais ça fait mal.

En allant à l'école, je tâte mon oreille gauche qui a comme craqué la veille, lorsque ma mère m'a secoué la tête. je m'aperçois qu'elle est déchirée au bas, vers le lobe. Je tâte encore et je gratte la plaie. Il y a une croûte. Le sang a séché. Maudit, la salope, elle m'a presque arraché l'oreille.

Le samedi, une grosse journée m'attend. Je dois laver le plancher de la cuisine, du passage, de la chambre de bain et du salon. Je travaille toujours agenouillé et défense de mettre quoi que ce soit sous mes genoux. Je place ma chaudière d'eau chaude à ma gauche, je mouille mon plancher en formant un carré de trois pouces de côté au maximum, ensuite, je prends une laine d'acier *Bull Head* et je la frotte sur le savon *Barsalou* qui est par terre, à ma droite. Puis je récure le sol en formant des petits cercles. Ensuite, je le rince; je dois traîner un couteau à patates avec moi pour gratter les petites saletés dans les recoins. Ça me prend environ cinq heures pour effectuer ce travail, il va sans dire, à la perfection. Il me faut déplacer les chaises berçantes et il est strictement défendu de les traîner sur le prélart. Si ma grande soeur décide de passer, pas question de rouspéter. Souvent,elle me dit: "Ne mouille pas ton plancher trop vite, je vais passer pour aller dans une autre pièce." La salope, elle se fiche de me faire perdre du temps et si elle fait des pas sur le plancher encore mouillé, elle dit: "Ferme ta grande gueule et essuie!"

Maudite pute de soeur. Je te tuerais si j'avais le droit. Si tu meurs avant moi, je te promets que j'irai chier sur ta tombe.

Ce travail, je vais le faire pendant plusieurs années. Je ne recevrai jamais un sou ni un merci. Parfois j'ai mon dessert, pas plus. L'été, il fait terriblement chaud. Mais pas question d'enlever ma camisole, ni ma chemise. Ma mère me fait porter une chemise de laine grise, trop petite et qui pique. Je déteste la laine et elle le sait. Cette maudite chemise est une vraie camisole de force. Incroyable comme cette guenille me fait souffrir. Souvent ma mère me la fait porter à l'école. J'essaie mille et un trucs pour l'enlever mais je ne trouve rien, à part ceci: je vais aux toilettes et je prends du papier que je place entre les manches serrées et ma peau. C'est mottoneux, mais c'est mieux que d'endurer cette maudite laine piquante. Lorsque je vais à la récréation, je n'ose pas jouer parce que ça me donne chaud sous les aisselles et aux bras et que ça pique encore plus. Je ne pense plus qu'à une chose, prendre un bain, mais encore là ma mère me surveille étroitement.

Quand je suis dans mon bain, ma mère vient me voir. Elle fait semblant de se peigner en se regardant dans le miroir, mais en réalité elle me surveille pour voir si je me lave partout. J'hésite terriblement à me laver les parties génitales lors-qu'elle me regarde. Elle me crie: "Lave-toi le cul maintenant. Qu'est-ce que t'attends?" Sous la menace d'une claque sur la gueule, je m'exécute, terriblement gêné.

Un samedi où elle ne se montre pas, j'apprends seul à reculer mon prépuce pour dégager le gland complètement pour bien me laver. Ma mère ne m'a jamais rien appris. À quatorze ans, je ne sais même pas que c'est elle qui m'a mis au monde. Et cinq autres enfants sont nés après moi! Ma mère porte un corset épais fait de baleines de tôle émaillée blanche. Je l'ai vu tellement de fois sur la pôle à douche de la chambre de bain que j'en connais les moindres replis. Je ne l'ai jamais vue avec un gros ventre et même si je l'avais vue, j'aurais pensé que c'était parce qu'elle avait trop mangé.

Je comprends tout un peu plus tard. Je suis dehors avec ma mère, mes frères et mes soeurs. Je vois de l'autre côté de la rue une femme avec un gros ventre. Surpris, je m'écrie: "Hé! elle a un gros ventre! Et je reçois une claque sur la gueule! C'est alors que les lumières s'allument; je comprends tout à coup que je viens de ma mère. Mais je ne fais aucun commentaire. Je sais qu'il est défendu de parler de sexualité, je sais que ce sont des conversations salopes. Il faut nous garder dans l'ignorance totale, moi du moins. La sexualité, c'est de la saloperie.

C'est dimanche, mes parents sortent et moi je veux savoir à tout prix comment c'est fait une femme. Je me demande depuis trop longtemps ce que les femmes peuvent bien avoir au-dessus du ventre. C'est ma grande soeur qui nous garde. Qu'est-ce que je risque si je la touche un peu? Une taloche par la tête ou une bonne pincée en dessous de l'avant-bras. C'est pas ça qui va m'arrêter. Ma grande soeur commence à se développer. Elle a un buste. Mais je ne sais rien de plus. Qu'est-ce que c'est un buste? J'entends prononcer ce mot par ma mère ou par ma soeur lorsqu'elles essaient leurs robes. Jamais ma mère ou ma soeur ne prononcent le mot "seins". C'est péché, je crois. Un buste, c'est le torse, les côtes, le cou et le "devant". Mais, pour moi, c'est aussi une Vierge, un Sacré-Coeur ou un Saint-Joseph en plâtre et coupé un peu en bas des bras, comme on a dans une chambre sur le bureau de mon grand frère.

Donc, je suis seul dans la maison avec ma grande soeur; mes autres frères et soeurs jouent dehors. Il n'est pas question de renoncer. Alors je me dis: tu vas lui serrer son buste gauche et tu vas te tenir le visage loin au cas où elle ferait la ruade. Ça risque de lui faire mal, mais qu'elle aille au diable. Moi, je veux la pogner, alors j'y vais, je m'approche de ma soeur et je lui pogne une rondeur. Ça y est! J'ai touché! La riposte ne se fait pas attendre. Elle m'administre une claque par la tête et me fourre une pincée sous l'avant-bras. Ça devient rouge et ensuite bleu. "Va te mettre à genoux dans le coin, ma maudite charogne, et attends, quand maman arrivera, tu vas y goûter."

Je reçois la volée. La main ouverte, les doigts étendus sur le bord du poêle et quelques coups de bâton sur les fesses. "Ça t'apprendra, mon maudit cochon, à toucher à ta soeur, toi." Pour avoir voulu savoir, j'ai trois pénitences: la claque et la pincée de ma soeur, la volée à coups de bâton sur les doigts et les cuisses donnée par ma mère et, pour finir, m'accuser à confesse le premier vendredi du mois. J'ai fait faute au neuvième commandement de Dieu: "L'oeuvre de chair ne désireras qu'en mariage seulement."

J'ai fauté en touchant la chair. J'ai fauté en ayant volontairement des pensées, des désirs et des regards contraires à la pureté. J'ai demandé la bénédiction; je l'ai eue et mon curé, comme pénitence, m'a dit de réciter une dizaine de chapelet. De retour à la maison, ma mère me dit: "As-tu fait ta pénitence?

— Bien oui, maman.

— Refais-la à genoux dans le coin et récite ta dizaine de chapelet et fort. Encore plus fort."

Je tiens mon chapelet de bois noir tout usé entre mes doigts. Je m'en fous de prier car je gagne des indulgences plénières à chaque "Je vous salue Marie".

* * *

À quatorze ans, je commence à faire de l'acné, j'ai des petits boutons rouges sur le front, sur le menton et surtout sous la lèvre inférieure du côté droit. Plus ça va, plus ça empire. On ne m'applique aucun produit. Ma mère dit: "Ça va partir tout seul." Mon grand frère, qui est plus beau, mieux fait et plus intelligent que moi et qui, en plus, va au séminaire, est soigné, lui. On le traite aux petits oignons. Le jour, et même le soir en faisant mes devoirs, je gratte mes petits bobos. Ma mère me surprend et elle me défend de toucher à mon visage; un ordre très strict. Alors, je le fais sans qu'elle le voie. Ma naïveté me trahit. Elle s'aperçoit à mon retour de l'école que les gales ont disparu. "T'as gratté tes boutons, toi, charogne. Je t'avais dit de ne pas toucher. Viens ici." Je mange encore une maudite volée à coup de bâton pour avoir désobéi. C'est plus fort que moi, je me gratte au sang.

Un soir, pendant le chapelet en famille, je gratte encore. Ma mère, placée un peu en arrière de moi, m'aperçoit. Je mange une autre taloche par la tête. Le chapelet terminé, elle me déclare: "Toi, si tu te grattes encore, tu ne mangeras plus jamais." J'en ai assez d'être coupé de desserts, j'ai besoin de mes repas. Ça fait qu'elle m'a eu par l'estomac. Quant à mon père, il me demande devant tous mes frères et soeurs: "Marcel, est-ce que tu joues avec ta "zizine", toi, des fois?" Je lui dis toujours que non. Mais il m'accuse de jouer avec mon corps. C'est ça, d'après lui, qui me donne de l'acné. Vraiment, il me rend fou. Je connais leurs talents de bourreau et de peur de me faire chauffer la "zizine", j'arrête de me gratter le visage. Mon père m'a humilié au plus profond de moi-même devant mes frères et mes soeurs. Et maintenant, chaque fois que je côtoie un garçon qui a de l'acné, je me dis que c'est parce qu'il joue avec sa zizine.

J'en vois beaucoup qui ont des boutons. Je ne comprends plus rien. C'est impossible que tout le monde joue avec leur corps. Il y en a trop. Pourtant, je ne joue pas avec mon corps. Mais qu'est-ce que c'est, bon Dieu? Qu'est-ce que nous avons les jeunes à avoir des boutons au visage? Je suis complètement mêlé; je ne comprends plus rien à cet état de chose. Je voudrais tellement savoir. À qui demander? À qui poser la question? À qui? Certainement pas au curé, ni au professeur.

Tiens! Mais qu'est-ce que je vois maintenant? Ma soeur aussi a des petits boutons rouges au visage. Pourtant elle n'a pas de zizine, bon Dieu! J'en suis sûr et certain, parce que, lorsqu'elle va uriner, elle s'assoit sur la toilette, alors que moi je reste debout. Elle n'est pas faite comme moi, bon Dieu. Je sais que toutes mes soeurs s'assoient sur la toilette. Et pourtant, elle a des boutons rouges! Impossible qu'elle puisse jouer avec son corps, puisqu'elle n'a pas ce que j'ai moi. Alors, c'est faux, c'est archi-faux cette histoire de zizine. J'avais confiance en mon père, mais c'est fini. Je me suis fait avoir.

À la maison, le mot "puberté" n'a pas sa place. Jamais on n'oserait prononcer ce mot. Jamais on n'oserait me dire que je suis en pleine période de croissance. Jamais on n'oserait m'expliquer la provenance de mes boutons. La locataire de la maison en arrière de la nôtre a des enfants, et, entre autres, une fille de dix-sept ans, Micheline. Ils sont excessivement pauvre; ils vivotent, le père ne travaille jamais. Ce sont des gens malpropres, leur loyer est infesté de coquerelles. La fille, mal vêtue et négligente, laisse souvent voir une minime partie de son buste. Je tourne autour d'elle pour tenter de voir un peu et savoir comment c'est fait une femme.

Bon! ma mère m'appelle pour le souper. Il est cinq heures et demie. En entrant à une vitesse folle, je cours vers mon père et lui dis: "Papa, il paraît que Micheline, c'est une putain.

— Va me chercher le bâton, toi.

— Qu'est-ce que j'ai fait encore?" Pas de réponse. Je remets le bâton à mon père. Je mange un seul coup, mais solide, dans la main. Ça me fait pleurer comme un con d'avoir été frappé sans savoir pourquoi. "Ça t'apprendra à dire des mots pareils, toi; "putain", on ne dit pas ça. Va serrer le bâton maintenant."

Je ne sais absolument rien sur ce mot; je ne connais même pas sa définition. Je l'ai tout simplement entendu prononcer par quelqu'un d'autre. Bon Dieu qu'on apprend vite à mon âge. J'ai une mémoire épouvantable.

Je retourne à l'école, j'ai un confrère pas trop timide et qui n'a pas la langue dans sa poche. C'est un bouffon. À la récréation, il taquine tout le monde. C'est le boute-en-train de la classe. Il n'est pas maîtrisable. Il traîne son sac d'école tout démantibulé sur ses fesses et souvent il le charrie à coup de pied. J'ai parfois le goût de faire comme lui, mais si j'arrive à la maison avec mes livres tout brisés, je sais que je vais y goûter. Je me contente donc de le regarder, mon Martineau. Il a un copain, Ti-Kid Lajoie, qui le suit partout comme une tache de graisse.

Un soir, à quatre heures, on sort de l'école. Je marche très près de lui, parce que je sais qu'il fera des siennes et me fera rire. Je me tiens un peu en arrière parce que je ne peux pas être son ami: je suis trop peureux. Il marche avec Ti-Kid Lajoie. Lui aussi me fait bien rire; il marche les pieds à la renverse et a la grimace facile. D'un coup sec, mon Martineau se retourne vers moi et dit: "As-tu déjà essayé de te "crosser", toi?

— Ben non, voyons-donc, qu'est-ce que c'est?

— Il faut que tu essaies ça. Tu vas voir le petit liquide blanc qui va sortir comment c'est le fun. Tu prends ça dans ta main et tu joues avec, et ça vient gros tout de suite."

Et mon Martineau, avec un geste un peu plus clair, me montre et me dit en riant: "Tu vas voir comment c'est le fun, tu vas monter au ciel. Essaie-le." J'ai tout compris mais je suis resté figé. J'étais très gêné. Mais au diable la gêne, j'essaierai demain à l'école.

Je laisse aller mon imagination. Je pense à la Micheline et à son buste, à ma soeur que j'ai déjà touchée, à la maîtresse; je regarde ses jambes. Rendu en classe, je demande la permission d'aller à la toilette. Mais il faut faire vite, je n'ai que cinq minutes.

Je regarde le ciel gris par la fenêtre de la chambre de bain, et c'est vrai... je monte vraiment au ciel... Il est d'un bleu pur, très pur même. Au moment de la jouissance, j'ai une peur terrible que je n'oublierai jamais. J'ai peur de rester crampé là, les deux fesses collées sur le cadrage de la porte; j'ai peur de ne plus être capable de bouger et autre chose qui ne peut s'expliquer. Mais je suis sain et sauf, alors je remonte mon pantalon et je reviens en classe.

C'est donc ça que mon père pensait que je faisais. Eh bien je viens de le faire. Je viens de faire connaissance avec la sexualité. J'aurais aimé lui poser mille et une questions à ce sujet. J'aurais voulu tout savoir. On est huit enfants, donc il a joui huit fois dans le ventre de ma mère. Mais je n'ose pas et je reste sur mon appétit. Je suis trop jeune pour tout savoir.

Il paraît que je ne suis pas capable de rire comme les autres. Mon père va m'enseigner à "rire comme du monde". Parce qu'il paraît que c'est une vraie honte de me voir rire. Il paraît que je suis affreux et que je fais honte à tout le monde. Ce n'est pas ma faute moi si je ne sais pas "bien rire", et d'abord qu'est-ce que c'est "bien rire"?

Tiens, par exemple, monsieur l'abbé prend une bille dans ses mains et nous dit: "Regardez, vous la voyez cette bille? alors, je vais l'avaler!" C'est incroyable, il l'a avalée; il ouvre la main et la bille n'y est plus. "Vous voulez revoir la bille maintenant?" Il se frappe la poitrine et hop!...la bille sort de sa bouche, et nous les jeunes, on éclate de rire.

"Mais comment est-ce que tu ris toi, Marcel? s'écrie mon père. Veux-tu bien me dire? Regarde-moi un peu!" Moi, je ne veux pas regarder mon père parce que je sais qu'il va encore se moquer de moi. "Voyons, es-tu sourd? Je t'ai dit de me regarder." Je n'ai pas le choix. Je lève la tête et je regarde mon père qui est assis sur sa berceuse. Il étire le cou et fait une grimace avec la bouche, puis il balance la tête à gauche et à droite. Tout le monde s'esclaffe et mon frère le séminariste rit à se décrocher la mâchoire de voir mon père se moquer de moi. "Voilà à quoi tu ressembles lorsque tu ris, espèce de niaiseux." Je veux aller me cacher dans ma chambre, mais mon père m'ordonne de rester où je suis. "T'as l'air d'un fou, s'écrie-t-il. Fais donc attention à tes gestes, regarde comment rient les autres et fais pareil." Et le séminariste éclate de rire.

* * *

Presqu'à tous les dimanches après-midi, mon père me demande si je veux aller prier avec lui. Je dis toujours oui.

Pourquoi? Parce que ça me sort de la maison, parce que ça me permet de m'éloigner de ma mère que je crains affreusement, parce que j'aime beaucoup me retrouver en compagnie de mon père, et parce que j'ai droit à une barre de chocolat. Nous nous rendons non pas à notre paroisse mais au Christ-Roi, pour faire le chemin de croix. Même si mon père se moque de moi, même si parfois il me bat, je l'aime quand même. C'est tout un honneur pour moi de sortir avec lui. Je le trouve beau. Toujours bien vêtu et la barbe bien coupée, la cravate bien mise. Il me demande pourquoi je n'écoute pas à l'école, pourquoi je me comporte mal avec ma mère, pourquoi ci et pourquoi ça? Mon père me parle très doucement et ça me fait pleurer. Je ne comprends rien à toutes ces questions et tout ce que je trouve à répondre, c'est que je fais mon possible pour aider maman dans ses travaux ménagers, que je fais de mon mieux pour laver les planchers et la vaisselle comme du monde. "Cesse de pleurnicher", me dit-il, et là, on entre à l'église. J'entends mon père qui prie et je vois ses lèvres murmurer un *Je vous salue Marie*. Je le regarde très souvent et bon Dieu que je l'aime mon père. J'arrive à la station qui me laisse toujours un froid dans le dos: la douzième, *Jésus meurt sur la croix*. J'ai encore la chair de poule aujourd'hui devant cette station. Je regarde mon père, mais pour lui les "stations" sont toutes pareilles. Il ne change pas d'attitude. À la fin, il allume un petit lampion au Sacré-Coeur. Puis on repart chez nous. Nous nous arrêtons à la librairie Beaulieu et mon père m'achète une barre de chocolat *Caramilk*. "Mange-la tout de suite, puis tu te nettoieras la bouche comme il faut." Parce qu'il ne faut pas, pour tout l'or du monde, que ma mère apprenne que mon père m'amène à l'église pour me payer du chocolat. Mais ma mère se doute que mon père me fait des "faveurs", et elle tente par tous les moyens de m'empêcher d'aller "prier" avec mon père. Elle me donne du travail ménager: laver les vitres de tous les châssis, laver toutes les portes d'armoires sur les deux côtés, vider tous les tiroirs et les laver; vider les bas des armoires et laver l'intérieur.

Un dimanche, elle me colle au cul et me trouve une job pour l'après-midi. Mais là mon père se fâche et dit à haute voix: "Marcel, va t'habiller, on s'en va à l'église.

— Non mais, es-tu fou toi? lui crie ma mère, pourquoi tu veux me l'enlever, j'ai besoin de lui ici toute l'après-midi. De toute façon, il n'étudie pas, il ne fait que regarder dans ses livres; il perd son temps et puis tu penses que cette charogne-là va à l'église pour prier, toi? Ben maudit, par exemple!

— J'ai dit à Marcel d'aller s'habiller et puis tu pourrais l'appeler par son nom, y a des limites. Et puis pour cet après-midi, prends-en donc un autre pour t'aider. Maudit, tu peux prendre Josiane, elle ne fait jamais rien dans la maison!"

Alors, pour la xième fois, c'est le diable qui éclate encore. "Amène-le avec toi ton écoeurant et puis oui, c'est toi qui va le nourrir maintenant, moi je ne m'occuperai plus jamais de lui." Et ma mère se met à pleurer. Je suis mieux de passer loin d'elle parce que je risque d'avoir une autre taloche. "Et puis, tu vas voir un jour ce qu'il va te faire celui-là, attends, tu vas voir", s'écrie ma mère.

L'après-midi, lorsque nous rentrons à la maison, tout est calme. Rien de mon travail n'a été fait. Ma mère est couchée et tous les autres enfants sont dans leur chambre. Mon père me dit: "Va étudier tes leçons maintenant, mon Marcel." Lui, il va écouter son émission préférée: *Jean-Benoît Marcoux à l'orgue.*

À six heures, ma mère appelle: "Venez souper vous autres". "Vous autres", ça comprend moi. Ma salope de mère a changé sa méthode. Elle ne nous sert plus le repas. Avant, c'était elle qui nous servait nos assiettes mais maintenant, elle place directement les plats sur la table pour qu'on se serve nous-même. Mes frères et soeurs sont surpris de cette nouvelle manière de procéder. Chacun se sert de son mieux, mais moi, je n'ose pas, je suis mal à l'aise, j'ai peur qu'on m'accuse d'en prendre trop et j'ai peur d'être maladroit. Alors je dis: "Je n'ai pas faim.

— Toi, tu manges comme les autres, crie mon père. Et puis toi, Linda, donne-lui à souper." Ma mère lui répond: "Qu'il mange de la marde, lui. Moi je ne le sers pas, jamais de la vie." Alors mon père se fâche: "Bon! Moi, je vais le servir." Ce soir-là, j'aurais préféré manger tout seul dans l'écuelle du chien du père Paulette.

Il y a du nouveau dans l'air. Nous avons eu la visite de monsieur l'abbé et celui-ci, avec sa forte influence auprès de mes parents, nous oblige à réciter dorénavant cette nouvelle prière avant chaque repas. La voici:

> *L'ange du Seigneur vint annoncer à Marie*
> *Qu'elle serait mère du Sauveur*
> *Et elle conçut par l'opération du Saint-Esprit.*
> *Voici la servante du Seigneur,*
> *Que votre parole s'accomplisse en moi,*
> *Le verbe s'est fait chair*
> *Et il a habité parmi nous.*
> *Priez pour nous Sainte Mère de Dieu*
> *Afin que nous devenions dignes des promesses de*
> *Jésus-Christ*
> *Je vous Salue Marie.*

Mais Bon Dieu, on passe notre temps à torcher et à prier chez nous! Mais cette prière n'a pas fait fureur longtemps. On l'a stoppée pour la remplacer par un simple bénédicité.

Aujourd'hui, à l'école, on chante une très jolie chanson. Jamais je ne l'oublierai; pour moi, c'est une des plus belles chansons du monde. Debout, dans la grande salle d'école, je regarde la Sainte-Vierge avec son chapelet et la tête du serpent à ses pieds: c'est elle la "Notre-Dame du Canada". Je chante à pleins poumons:

Regarde avec amour sur les bords du grand fleuve,
Un peuple jeune encore qui grandit frémissant.
Tu l'as plus d'une fois consolé dans l'épreuve
Ton bras est ta puissance et ton bras est puissant
Garde-nous tes faveurs
Veille sur la patrie
Et soit du Canada,
Notre-Dame, ô Marie...

Nous sommes rendus au coeur de l'hiver. Il est trois heures du matin. Tout à coup, on est réveillé par quelqu'un qui frappe à notre porte et ça cogne fort. Qu'est-ce que ça peut bien être à cette heure de la nuit? Mon père a deviné: "C'est sûrement un maudit locataire qui a un problème." De notre lit, mon petit frère Ti-Gus et moi nous entendons la voix de mon père: "C'est le père Paulette." Mon père accourt à notre chambre. "Gustave et Marcel, habillez-vous et venez m'aider! Habillez-vous comme il faut. Puis, pendant que je vais aller à la cave, amenez-vous une chaudière à plancher, une moppe et beaucoup de guenilles." Tous les trois, à moitié endormis, on se prépare à aller dans le petit logement du père Paulette. Lorsque nous voyons mon père remonter avec sa grosse lampe de poche et ses clés anglaises, nous comprenons vite qu'il s'agit d'un gros dégât.

Le vieux locataire vit seul avec un gros chien tout puant. Il nous ouvre la porte. C'est incroyable ce qu'on voit. Le plafond de la cuisine est rempli de glace et il est descendu de moitié. Il y a un morceau de *pacoplatre* qui pend tout près de la table et un autre gros morceau qui est tombé sur le vieux poêle à bois. L'eau coule le long des murs. Moi, ce qui me fascine le plus, c'est de voir la vitre du gros cadran réveil-matin *Big Ben* bombée de glace. C'est pas possible, on gèle tout rond ici. Notre bonhomme chauffe au bois, mais la nuit, il ne se lève jamais pour ranimer son feu. Enveloppé dans des couvertures, il dort tout son saoul. Son loyer est pire qu'un taudis, pire qu'un fond de garage. On monte à l'étage. Un boyau d'arrosage relié à un réservoir d'eau et servant à conduire l'eau aux toilettes a gelé. C'est la cause du dégât. Il faut tout essuyer mais l'eau est tellement froide que nous sommes incapables de tordre la grosse moppe, alors c'est mon père qui fait le travail.

L'hiver n'est pas encore terminé qu'on a un autre problème: un locataire fout le camp en laissant un logement sens dessus-dessous. Je vais visiter le loyer avec mon père. C'est un beau spectacle: tout l'évier, les deux côtés au-dessus des armoires, et puis les panneaux du bas et une partie du plancher sont recouverts d'une couche épaisse de glace transparente. Je peux distinguer sous la glace les poignées et les pentures des portes. "Va falloir chauffer ce maudit loyer-là, dit mon père. Toi, tu vas me casser toute cette glace avec la hache, mais fais attention de ne pas abîmer l'armoire."

Ce soir, c'est la remise des bulletins scolaires et c'est ma mère qui va chercher mon bulletin à l'école. elle part à sept heures pour rencontrer mon professeur. J'ai une peur bleue qu'on me reproche des inconduites. Mais je suis certain d'avoir fait tout mon possible pour avoir des bonnes notes. À sept heures et demie, elle revient. Je la regarde; elle a l'air calme. Je vois à son regard que je m'en suis bien tiré. Je suis près de l'évier en train de faire couler l'eau pour boire un peu. Elle me crie: "T'as eu soixante-dix pour cent de moyenne et t'as eu une bonne conduite." Je suis fou de joie. Dans mon énervement, j'échappe mon verre d'eau dans l'évier et, en voulant éviter de le casser, je me coupe profondément à la jointure du petit doigt. On voit très bien l'os. Ça saigne abondamment, mais pas question d'aller me faire recoudre à l'hôpital. Je cherche à comprendre. Je me pose mille et une questions afin de savoir pourquoi on me traite ainsi. Pourtant j'ai eu de bonnes notes à l'école. Mais il n'y a rien. Absolument rien pour moi. J'ai droit à un bandage fait par ma mère. Rien de plus.

Je m'en doutais que j'aurais de bonnes notes à l'école. Mon professeur demeure sur la même petite rue que moi et de temps à autre, nous faisons le trajet à pied tous les deux. Ainsi on peut parler. Je lui dis que mon père et ma mère sont très sévères et qu'il leur arrive souvent de me battre et de me priver de dessert parce que je n'ai pas de bons résultats ou une bonne conduite en classe. Alors, je lui ai demandé s'il pouvait être moins sévère à mon égard. Mon professeur me l'a promis.

Mon père a aménagé, dans la cave, un énorme carreau en bois pour y enfermer une trentaine de poules qu'il achète cinquante cennes chacune. Mais les maudites poules, au fil des jours, se sont mises à puer. C'est pénible pour nous qui habitons au-dessus. Alors, on décide de les tuer et rapidement, parce que ça sent le poulailler jusque dans nos chambres à coucher.

Mon père descend à la cave avec son gros couteau à boucherie. Le premier coup est donné. Une poule a le cou tranché et elle vole encore! Elle court dans la salle; je la regarde, très intrigué. Et le massacre continue. Puis ma mère fait bouillir de l'eau dans son gros *boiler* et sauce les poules quelques minutes dans l'eau bouillante. Les plumes s'enlèvent comme rien. Qu'est-ce qu'on en a mangé du ragoût de pattes de poules! Même les têtes ne se perdent pas. Ma mère les fait bouillir avec des petits oignons. Tout un festin. On se dispute pour avoir la plus grosse portion de têtes. Mon grand-frère a droit à quatre ou cinq têtes, mais c'est le plus vieux.

Même les poches de sucre ne se perdent pas. Ma mère les coupe en deux et elle en fait des grande bavettes ou encore des linges à essuyer la vaisselle. En automne, chaque vendredi soir, mon père fait sa provision de lièvres au marché, à vingt-cinq sous chacun; il en achète une bonne douzaine. Je les tiens par les pattes arrière pendant qu'il les pleume. J'ai envie de vomir à chaque fois que je fais ce travail. Mais quel délice lorsque les lièvres sont apprêtés avec un bon morceau de lard salé.

Je me suis mal conduit à l'école. Ma mère me punit d'une façon répugnante. En plus d'être privé de dessert pour un mois, elle me donne comme unique repas, pendant deux jours, un bol de gruau froid qui reste de la veille ou de l'avant-veille et dans lequel elle garoche une vieille patate cuite, le tout assaisonné de poivre. Mon lunch n'est pas réchauffé. Je dois le manger froid, sans rien laisser. Je n'ai même plus le droit de manger les croûtes de ma grande soeur. J'ai souvent droit à ce régime. Lorsque ma mère garoche la patate cuite et froide dans le bol, je n'ose pas trop regarder ce que j'avale; parfois la patate est noirâtre et surette. Mais je dois tout avaler. Mon bol de gruau est tellement figé et épais que je pourrais le retourner, tout resterait dedans!

Ça écoeure mon père de voir comment je suis nourri. Il a beau tenter de faire comprendre à ma mère que ça doit cesser, rien n'y fait. Et c'est la chicane. Ils sont deux à trois semaines sans se dire un mot. Mes frères et mes soeurs me détestent encore plus. Pourtant, je travaille de plus en plus dans la maison. Le matin, après la messe, j'épluche les patates pour le repas du midi et lave la vaisselle. Après le déjeuner, départ pour l'école. Toutes mes minutes sont comptées; si je ne réussis pas à faire mon travail du matin, je dois me passer de manger. "Passe-toi de déjeuner et marche à l'école, charogne. À l'avenir, tu te mouveras un peu plus. Au lieu de marcher, cours!" Ce sont les paroles de ma mère. Je les ai tellement entendues que je les sais par coeur. Le lundi soir, je lave les bas de la famille. Je place les bas dans le *boiler* rempli d'eau chaude et je les frotte sur la planche à laver, ensuite je les retourne et je recommence. Mais j'ai terriblement peur d'aller dans la cave et ma mère le sait. Je tente de lui expliquer mon angoisse, mais elle ne veut rien entendre. Alors je m'exécute. J'ai peur des rats. J'ai peur du bruit. Souvent mon dos est tout trempé à cause de ma peur; au moindre bruit, je sursaute. Je voudrais crier très fort mais je reste figé. Du fond de la cave, je regarde les marches qui mènent en haut et il me semble que je ne les monterai plus jamais. J'ai la chair de poule tellement je suis épouvanté. Ma mère sait bien l'exploiter cette peur afin de ma châtiller et me faire endurer "tout ce que je lui fais endurer", selon ses dires. "Si tu ne fais pas comme il faut, tu vas aller coucher dans la cave", menace-t-elle. Mais ça ne m'influence pas, je l'attends de pied ferme. Si elle met sa menace à exécution, je resterai assis dans le haut de la marche toute la nuit et si on me fout un coup de pied pour m'envoyer en bas, je remonterai. On me tuera, ça m'est égal, j'ai trop peur.

Ce lundi soir, mes bas sont lavés, rincés et essorés. Mais, poussé par la peur, j'ai peut-être, je l'avoue, commis une petite négligence; j'avais trop hâte de remonter. Ma mère va vérifier mon travail et remonte les gros bas de laine de mon père. Je suis sur ma chaise droite, face au mur, en train d'étudier mes leçons. Elle se précipite sur moi et me frappe un côté du visage avec un de bas. "T'as pas tordu les bas de ton père comme il faut, mon maudit baveux. Regarde, ça pisse l'eau." Je me lève en tentant de me protéger la figure mais elle m'attrape à la gorge et me serre tant qu'elle peut. "Tu mériterais un bon coup de hache dans le front, toi, maudit écoeurant d'enfant." Mon père voit tout, se fâche et lui dit: "Lâche-le, maudit, tu vas le rendre fou cet enfant-là; as-tu compris une fois pour toutes?

— Mais, Léopold, lui dit-elle, regarde, ce sont tes bas qu'il n'a pas tordus et ils sont mal lavés.

— Laisse-le tranquille", lui dit mon père.

Je l'ai vite compris ce petit jeu. Ma mère se rend compte que mon père m'aime un peu trop; elle se rend compte que, de temps à autre, à son insu, lorsqu'il passe à côté de moi, il m'ouvre la bouche et me fourre un bonbon dedans. Ma grande soeur l'a déjà vu faire. Ce soir-là, mon père demande à ma mère de réparer ses pantalons de travail. Elle lui répond: "Non, jamais, répare tes cochonneries et arrange-toi avec ton chieux à marde." La bouderie va durer trois semaines.

Le lendemain matin, mon père part pour le travail à huit heures moins vingt-cinq précises, sa boîte à lunch sous le bras. Je suis revenu de la messe depuis quelques minutes à peine. Ma mère m'attend: "Viens icitte, toi, maintenant que ton père n'est pas là." Elle prend sa revanche et me frappe avec la complicité et l'encouragement de ma grande soeur salope. Je mange une maudite volée, les doigts posés sur le bord du poêle, sur les fesses, et je pars pour l'école sans déjeuner. Désormais, à chaque fois que ma mère aura quelque chose à me reprocher, elle me donnera la volée après le départ de mon père. Ce sera la volée de huit heures moins vingt. En me voyant arriver la larme à l'oeil, mes camarades me regardent et quelques-uns me demandent: "Qui t'a fait mal, Marcel?" Je n'ose pas répondre. J'ai trop honte.

Le jour où mon père apprend cela, il décide que je sortirai en même temps que lui: "C'est fini, ces histoires de frapper Marcel quand je suis parti", déclare-t-il à ma mère. "Ce n'est pas Marcel, c'est le chieux de marde," lui répond-elle.

Ce soir, nous avons la visite de monsieur l'abbé. Bon Dieu que je suis fier. Comme je me sens mieux. Mais c'est une fausse joie. Ma mère vient me voir et me dit: "Toi, je ne veux pas te voir de la soirée. Avant que monsieur l'abbé arrive, tu iras te coucher en dessous du lit sans souper." Mon père prend parti pour moi mais il n'y a rien à faire. J'obéis, et quand monsieur l'abbé arrive, je suis couché par terre, sous le lit, le ventre vide.

Un peu plus tard, mon petit frère Gustave entre dans la chambre; je reconnais son pas. Il s'approche du lit et me pousse un gros gâteau aux fruits. Il quitte les lieux si vite que je n'ai même pas le temps de lui dire merci. C'est vrai qu'il vaut mieux pour lui de ne pas se faire prendre. Je bouffe mon gâteau dans un temps record, en remerciant mon frère en moi-même pour ce zèle incroyable. Un gâteau qui a sûrement été piqué chez l'épicier. Je lui fais honneur. Monsieur l'abbé s'est sûrement rendu compte que je n'étais pas au souper, mais il ne se mêle de rien; il sera parfois témoin de disputes, mais il ne parlera jamais, jamais il ne prendra ma défense, de peur sans doute que ma mère ne le mette à la porte. À dix heures, après son départ, j'ai la permission de me mettre au lit. Je suis heureux, j'ai le ventre plein du gâteau aux fruits.

C'est le onze février, je suis au comble de la joie. Aujourd'hui, c'est une très grande fête: la fête de ma patronne, Notre-Dame de Lourdes. Bon Dieu que je l'aime. Je la prie très fort et je lui demande de me protéger. Je l'aime, oui, je l'aime. C'est comme si, ce matin-là, je la portais en moi. Il me semble aujourd'hui que rien n'est plus pareil. On dirait que tout est changé.

En cachette de ma mère, je garde un dix sous en poche, que mon père me donne le dimanche après-midi quand je lui brosse les doigts avec la brosse à cheveux. Mon dix sous, je l'ai gardé pour faire brûler un lampion pour moi tout seul. Je fais une très courte prière à ma patronne; je lui dis que je l'aime malgré tout ce qui m'arrive. Puis je retourne à la maison. Je l'aime, ma bonne Notre-Dame de Lourdes. Ce matin, en lui faisant le cadeau de mes prières, je me sens moins seul. Elle est bien plus forte que ma mère. J'y pense toute la journée. Tout ce que je ferai aujourd'hui, je lui offrirai sans rien demander en retour, à l'exception de sa grâce. Si je me fais frapper ou injurier par ma mère ou ma grande soeur, je lui offrirai mes souffrances en rémission de tous mes péchés. Le soir avant de m'endormir, je lui dis du plus profond de mon âme que je suis fier d'être venu au monde le même jour qu'elle. Je m'endors en pleurant, en faisant attention que mon frère Ti-Gus ne m'entende pas renifler. Mes larmes sont des larmes de joie et d'amour.

Je continue à prendre de l'âge et à grandir. Un soir, je vois mon grand frère Joseph en train de se laver les aisselles.

Tiens, il a du poil sous les bras celui-là. Moi non. J'aurais voulu en savoir davantage, mais pas question. On n'a pas à nous instruire dans ce sens. J'ai des parents à la morale très stricte.

Quelques jours plus tard, alors que je suis en train d'étudier mes leçons, je passe la main sous mon aisselle. Je cherche sans rien chercher. Nom de Dieu, qu'est-ce que c'est? C'est un long cheveu très mince. J'ai hâte d'aller au lit pour enlever ma chemise et toucher mieux.

La lumière du jour me prouve, le lendemain matin, que la nature a fait son oeuvre. Mais je ne dis rien de ma découverte à personne. Sûrement que ma mère m'arracherait ce que la nature vient de me donner!

Je commence à me rendre compte qu'on me traite trop différemment des autres. Je veux à tout prix que cela cesse. J'en ai assez de torcher la maison, de me faire traiter de charognard et de manger des maudites pincées sous les bras. J'en ai assez d'être frappé à coups de bâton sur les doigts; j'en ai assez de manger des taloches par la tête!

Pour attirer l'attention et pour qu'on me fiche la paix, je vais, avec le couteau dont je me sers pour éplucher les patates, me faire péter les veines des poignets. J'y pense toute la journée, car c'est ce soir que j'ai décidé de faire mon coup. Je vais débarrasser ma famille de ma présence. Subitement, il me revient à l'esprit que souvent ma mère me dit de les débarrasser de ma présence et que mon père me dit parfois d'aller me cacher.

Arrive donc le soir. Je me mets en place pour laver mon plancher et je regarde ma petite soeur qui épluche les patates pour le souper. Je fixe le couteau et toutes sortes de choses me passent par la tête. Je commence par haïr les maudites patates, ce légume immonde que je retrouve trop souvent et parfois pourri dans mon bol de gruau. Mais j'ai peur. Je suis trop pouilleux pour prendre possession du couteau et m'ouvrir les veines. La chienne me pogne et je laisse tomber. Je suis un lâche et je me résigne à accepter tout ce qui m'arrive. Ma mère a raison de me traiter ainsi, je ne mérite pas plus. Je suis exactement ce qu'elle dit de moi. Je suis seulement "bon à me faire bâtonner". Mais il y a un diable qui me dit qu'il faut absolument que je tente autre chose, un coup monstrueux! Un coup qui fera du pétard!

Le lendemain matin, je pars le ventre vide mais avec le portefeuille de mon père en poche. Je vais manger plein mon estomac, tout ce qu'il y a de meilleur. À quatorze ans, j'ai mon portefeuille en poche et il est bien garni. Je vais priver tout le monde de manger. À mon tour maintenant! Je compte ma fortune: soixante-douze dollars. Je n'ai pris que la monnaie de papier, c'est tout ce qui m'intéresse. À la récréation de dix heures, je traverse la rue, j'entre chez l'épicier, et je magasine à mon aise! J'achète un gros sac plein de petits sacs de chips. Je paie la traite à toute la classe. Nous sommes trente et un élèves. J'ai de nombreux amis maintenant. Tous me demande de leur en donner. L'école finit à onze heures et demie et je m'en vais dîner. je garde la portefeuille sur moi, mais avant d'entrer à la maison, je regarde si personne ne me voit et je le cache sous l'escalier. Ma mère a l'air tout égarée et mon père est blême. Ils ont cherché tout l'avant-midi; ils ont révisé toutes leurs allées et venues faites la veille. Je ne peux rien avaler; je n'ai pas faim et pour cause.

Je suis peiné de voir mes parents tout bouleversés; ils ont sans doute perdu toute leur fortune. J'ai envie de leur dire que c'est moi qui ai fait le coup, mais j'ai trop peur. Je ne parle pas. En partant, je reprends mon portefeuille caché sous l'escalier et, bien sûr, je me fais prendre; ma mère me surveillait par le carreau de la fenêtre.

Je passe une partie de l'après-midi à genoux pendant que mon père est allé fouiller mon bureau en classe. Il revient et s'en va droit à la cave. J'entends son banc de scie qui tourne. Je devine qu'il est en train de se tailler un bâton pour me maudire la volée: le bâton à lavage a été cassé sur le bord du poêle. Il remonte avec un gros gourdin de chêne: deux pieds de long, un pouce d'épais et deux pouces de large. On me fait passer dans la chambre à coucher et on me déshabille dans un temps record. Ma mère m'attache les mains dans le dos pendant que mon père m'attache les pieds. Puis on me couche à plat ventre sur le lit. Ma mère me tient solidement pendant que mon père accomplit son devoir, le seul d'ailleurs qu'il ait su faire à la perfection. Puis elle me demande: "Est-ce que tu en as assez maintenant?" Je crie tellement fort que je suis presque incapable de prononcer un mot. On me jette sous le lit.

Après le souper, ma mère me fait sortir de mon trou et me dit: "Viens ici, toi. Tu as l'air fin là, viens nous montrer tes fesses noires." Je sors et elle baisse mon sous-vêtement pour montrer mes fesses à mes frères et soeurs. Mes deux petites soeurs Lorraine et Louise pleurent.

Le lendemain, je suis presque incapable de m'asseoir sur mon banc d'école. Je bouge sans arrêt pour trouver la meilleure position. Je demande au professeur la permission d'aller à la toilette et là, j'ai l'idée qu'en m'appliquant de l'eau froide, ça m'aidera.

Mes fesses sont toutes noires, elles sont fendues à plusieurs endroits, il y a des traces de sang; je me mets à pleurer comme un déchaîné et je décide de ne plus rentrer chez nous. Je prends mon manteau et je fuis; je prends la clé des champs. Je suis content, je me sens libre comme le vent. Je regarde dans la rue, partout autour de moi, comme si toutes les maisons m'appartenaient et, sur mon chemin, je vois de choses que je n'ai jamais vues et qui pourtant sont là depuis longtemps. Je vois une piscine publique, la petite bijouterie Gagnon, un magasin de télé. Ça me tente d'aller jaser avec le bonhomme de la tabagie Deschamps, mais je n'ai plus un sou. Je continue ma route et j'arrive droit sur la grande rue: ça, c'est la rue des grands de ce monde, c'est la rue des riches; c'est ici que s'échange beaucoup d'argent. C'est ici le repère des plus gros commerçants de la ville. Je m'arrête devant un énorme édifice. Il a l'air triste. Il est d'un vieux gris. Je regarde et je lis: *Palais de Justice-Court House.* Allons donc, c'est pas possible. Alors c'est là qu'on enferme les voleurs?

Pourtant il n'y a pas de barreaux et ceux qui entrent et sortent de l'édifice sont bien vêtus. J'aimerais tellement voir de quoi ça a l'air un juge de paix; j'aimerais voir ce que ça a l'air un vrai prisonnier. J'aimerais aussi voir le dedans d'une auto de police, comment c'est fait à l'intérieur; il y en a une qui est stationnée, mais j'ai peur de m'approcher. Je préfère rester ici et regarder. Je me pose des milliers de questions; j'aimerais tout savoir. Un juge de paix, est-ce que ça a la tête blanche? Est-ce que ça porte des souliers ou bien des sandales? Notre monsieur l'abbé, lui, il porte toujours les mêmes bas noirs et les mêmes souliers. Je décide de monter une petite rue qui contourne le gros palais. Je lis les petits écriteaux qui sont cloués sur la pierre de l'édifice: juge Robert Massicotte, juge Robert Hutchison; juge Jacques Pagé. Je voudrais bien voir sortir un prisonnier, un vrai de vrai et je le vois: la barbe longue, la tête très basse, mal vêtu avec un costume à rayures blanches et noires et les menottes aux poignets.

J'essaie de compter les marches pour me rendre à l'entrée du Palais de justice et je perds mon chiffre parce que je me laisse distraire par le bruit de mes pas. Il y en a au moins une bonne trentaine. Il y a des mots formés avec des petits bouquets de fleurs. C'est écrit: *"Dieu et mon droit"*. Je ne sais pas ce que veut dire cette phrase de l'évangile et, un peu enragé et insatisfait de ne pas comprendre, je fiche le camp. Allez au diable avec votre Dieu et votre droit.

Je ne pense qu'à une seule chose: manger. J'ai beaucoup marché et j'ai faim mais je n'ai pas un sou. Je vois un gros magasin *Woolworth*. J'entre et je vole un gros sac de pinottes écalées et je fiche le camp en courant. Personne ne m'a vu. J'ai fait très vite. Je suis heureux comme un pape. Je vais pouvoir continuer ma route tout en dégustant. Ce que j'en mange des pinottes! Je tiens mon sac en papier plastique comme si c'était un lingot d'or. Je voudrais bien le rentrer dans ma poche mais il est trop gros. Je crois que c'est un sac de trois livres au moins! Je n'ai pas manqué mon vol. Je continue à marcher et je vais m'abreuver dans les toilettes du terminus. Ça ne coûte rien l'eau. Ici c'est gratuit. Je prends tout mon temps et je regarde partout. C'est incroyable ce que je vois. J'ai envie d'éclater de rire. C'est pire que pire: il faut payer dix sous pour aller à la toilette! Je passe sous la porte. Je suis rendu à l'extérieur du terminus et j'arrive dans le monde merveilleux des énormes autobus. Ça me tente d'embarquer dans la soute à bagages d'un gros autobus, mais j'ai peur d'être vu et de manquer d'air.

Je monte d'un pas nonchalant la grande côte King. Je ne sais pas ce qui m'arrive, je sombre soudainement dans l'inquiétude, dans l'ennui, à mesure que je vois baisser le soleil. Je me sens de moins en moins sûr de moi, je suis inquiet sans trop savoir pourquoi. Il est cinq heures du soir. J'arrive à l'église Saint-Patrick. J'entre sans faire de bruit. C'est ici que je coucherai ce soir. Sur un de ces bancs. Mais tant qu'à y être, je voudrais toucher de mes doigts les saintes espèces. Monsieur le curé nous a toujours formellement défendu de toucher le ciboire lorsque je servais la messe. Le toucher, c'est pire qu'un péché, c'est un sacrilège. C'est plus fort que moi, il faut que je touche le saint ciboire. Je veux voir ce qui va se produire en moi lorsque je le toucherai. Ce n'est pas vrai cette histoire que je vais faire apparaître le diable. Je n'y crois pas. Je marche lentement vers la sainte table. Plus j'avance, plus je m'approche, plus j'ai peur. J'en ai des frissons sur tout le corps et j'ai dans ma pauvre tête l'image dégueulasse du diable avec son épée à trois fourches; ce salaud de diable, je le revois comme je l'ai déjà vu dans mon histoire sainte, il a les lèvres toutes rouges. Je ne suis plus capable d'avancer. J'ai trop peur de le voir apparaître. On dirait que quelqu'un me tire par derrière pour me faire reculer. C'est d'accord, je vais reculer, mais je te dis qu'un jour toi, le ciboire, je te toucherai de mes doigts. Je te le jure, je te toucherai de mes mains, juste pour voir.

Le curé de la paroisse sort de la sacristie. Je lui raconte mon histoire. Il m'écoute avec une très grande gentillesse. "Monsieur le curé, moi je suis un évadé du foyer paternel; j'ai pris la fuite ce matin et je ne veux plus du tout rentrer chez moi." Le curé, qui casse un peu le français, va chercher un petit sandwich, un gâteau et un café. Mais je refuse de manger. Puis il me demande où je vais coucher ce soir. Je ne sais pas quoi lui répondre. Il m'avise que la police va me rechercher, mais il me promet de ne rien dire à personne de mon escapade. Il me recommande fortement d'aller voir le curé de ma paroisse et de tout lui raconter. Puis il me serre la main très fort et me souhaite bonne chance. C'est dans cette église que je passe la nuit.

Le lendemain matin, je décide d'aller voir le curé de ma paroisse. Il me reçoit au presbytère. Mais il est fou raide mon curé, il ne tient pas en place. Il est pire qu'une queue de veau. Sans même prendre la peine de s'asseoir et de m'écouter un peu, il me fait monter dans son auto. Arrivés à la maison, ma mère nous ouvre la porte; elle devient verte comme un poireau en m'apercevant. Monsieur le curé me demande de me retirer un peu et il chuchote avec ma mère quelques minutes. Elle ne parle pas du tout. Si elle tente de m'agripper pour me battre, je me sauverai en courant. Je ne l'ai jamais vue comme ça, elle est calme comme ce n'est pas possible. Pas même un reproche envers moi. C'est drôle mais c'est la toute première fois de ma vie que je ne me sens pas menacé en sa compagnie.

À l'école, je me fais dire par le professeur qu'il me faut attendre le directeur à la porte de son bureau. La porte est close. Je décide de rester là et je me sens très fier d'avoir fait le coup. J'entends quelqu'un monter d'un pas pesant les longues marches de terrazzo. Tiens, ce n'est pas le directeur, mais un homme habillé en civil qui se présente à moi. "Bonjour, mon nom est Zénon Bolduc." Il me fait entrer dans un petit bureau et me dit qu'il est détective. Là, je suis content. J'en avais jamais vu de si proche de ces détectives; c'est ça que ça a l'air un détective. Et bien, je suis content, j'aurai au moins appris ça. Lui, il tente de me faire parler. Mais je refuse. "Tu sais, Marcel, me dit-il, voler conduit à la prison; c'est très grave ce que tu as fait". C'est sûrement ma mère qui lui a raconté que j'ai volé le portefeuille de mon père. L'entrevue est déjà terminée et le détective me demande d'entrer dans un autre petit bureau. il paraît que quelqu'un m'y attend. Tiens, celui-là, c'est un psychologue. Ce monsieur place devant moi des petits carreaux de bois et me demande de former quelque chose avec des pièces. Je réussi à faire le truc dans un temps assez court, je forme un visage. Ensuite, je lui parle un peu; je lui raconte comment on me traite à la maison. J'ai envie de lui cracher dessus parce que je vois bien qu'il a de très grandes oreilles mais ça m'a tout l'air qu'elles n'entendent rien, parce qu'il ne me répond jamais rien. En voilà un autre qui croit sûrement que tout ce qui m'arrive c'est parce que je le mérite. L'entrevue se termine comme ça. Ce soir ce sera au tour de mes parents de le rencontrer.

Lorsqu'ils rentrent après l'entrevue, ma mère est furieuse. J'ai fait du placotage et j'ai dénoncé ma mère et mon père, je l'admets. Mais, au moins, pendant quelques semaines, on me fiche la paix avec les grosses volées et les taloches par la tête. Ma mère me gardera toujours rancune d'avoir parlé. Je suis définitivement devenu la honte de la famille.

* * *

Je retournerai à l'école comme à l'habitude. À partir de maintenant, ma conduite est stable; je me tiens de mieux en mieux. Néanmoins, mes notes souffrent encore et ma moyenne générale se maintient juste à la limite pour ne pas doubler la classe. Je ne suis pas doué pour l'étude. Je travaille donc souvent avec mon père le soir et les fins de semaine à l'agrandissement de la maison.

Il me reste très peu de temps pour faire mes devoirs et mes leçons. Mon père ne me passe rien. Sa manière de me montrer est très rude et très sévère. Il aurait fallu que je sois comme lui, que je sache tout, et que je manie tous les outils à la perfection. Il m'engueule et me réprimande souvent en vociférant des paroles injurieuses. Mais je me sens quand même en sécurité avec lui.

Je craque au tout début de la dixième année. Rien à faire, pas de dixième année pour moi. Je ne veux plus étudier. J'ai maintenant droit à un nouveau repas, un peu plus copieux que mon bol de gruau froid et ma patate bleuie: je mange les éplures de patates bouillies. C'est ma petite soeur qui épluche. Ma mère m'a enlevé ce travail. Elle a vu juste cette fois. Qui osera dire qu'une femme n'a pas d'intuition? Je mijotais un bon coup et je le préparais minutieusement. Je mijotais de faire cuire les patates avec de la mort aux rats. J'ai l'écorce dure à présent. Je suis prêt à tout.

À seize ans et demi, avec l'approbation de mon père, je quitte l'école. Je veux travailler, gagner de l'argent. Je ne pense qu'à cela et mon père me dit que je ferais un excellent boucher. Alors, il m'obtient un emploi au Marché public, chez le boucher Ladouceur. Je travaille le vendredi et le samedi de quatre heures du matin à neuf heures du soir, pour hacher le boeuf et préparer les comptoirs. Je ne vois jamais un seul sou noir des trente dollars que je gagne, je donne tout à ma mère. Mon employeur s'aperçoit souvent qu'il y a quelque chose qui ne tourne pas rond. Tous les employés m'appellent "le grand bébé". Il y a une dame Bissonnette qui travaille avec nous. Je suis collé à elle comme une tache de graisse. Je la trouve belle, aimable et d'une gentillesse incroyable. Maudit que j'aurais aimé que ce soit elle ma mère. Je n'aime pas mon travail, je ne suis pas heureux, mais j'aime tellement Madame Bissonnette que je reste quand même à mon emploi.

Un jour, en voulant décrocher un quartier de boeuf d'une grosse poulie, je me trompe de côté et elle me tombe sur l'arcade sourcilière. Je saigne comme un boeuf et on m'amène à l'hôpital pour suturer. À cause de cette maladresse, je perds mon emploi. Tant mieux, je n'aime pas ce travail.

Je viens de laver les bas de la famille. Ma mère est encore insatisfaite de mon tavail. Elle s'approche pour me frapper, mais j'attrape la planche à laver et je lui en maudis un coup sur l'épaule droite. J'ai pris une grande décision. À partir de maintenant, plus personne ne me frappera, plus jamais. Je suis prêt à me défendre avec le couteau à pain, et, s'il le faut, j'attraperai le marteau.

Ce soir-là, ma mère me déclare que je coucherai sur les ressorts du lit. Plus de matelas! Je m'en fous. Mon père ne l'entend pas ainsi, il me défend: "Tu vas lui laisser son matelas. Si son ouvrage est mal fait, il va tout simplement recommencer." Je n'ai rien à recommencer. Mon travail est bien fait et je le sais. Je sais aussi de quel malheureux ventre je suis né. Ça ne peut plus durer. Je n'en peux plus. Je fais part de mon intention à mon frère Gustave. Je lui dis que je ne peux plus vivre ainsi, que je vais quitter la maison. Tout estomaqué, il garde le silence. Peut-être ne me croit-il pas capable d'en arriver là.

Je m'éveille à cinq heures; c'est un dimanche matin tout ensoleillé. Je rassemble quelques paires de bas, des sous-vêtements, une combinaison et un manteau. En posant la main sur la poignée de la porte, je me dis que c'est la dernière fois que je sors d'ici. Je jette un regard rapide dans la cuisine, le passage, et le salon. Ce maudit plancher que je foule de mes pieds, plus jamais je ne le laverai. À ma gauche, en haut du mur, le Sacré-Coeur me regarde. Mon coeur bat très fort dans ma poitrine. Sur la troisième marche extérieure, mon sac de linge sous le bras, j'éclate en sanglots. Où vais-je aller, seul et avec quinze dollars en poche? Mais le soleil me réconforte et un immense vent de liberté souffle sur moi. Je ne reculerai pas. On m'a fait payer trop cher ma naissance et mon enfance, maintenant ça suffit. Cet amour que j'attendais, on me l'a refusé avec cruauté. Comme on m'a refusé de rire, d'être tendre, de prouver que j'étais un être humain. Mon enfance, ma jeunesse, on me les a volées pour les donner au diable, comme on m'a volé mon besoin d'être aimé, d'être regardé, d'être écouté. Parents maudits de l'antiquité, parents immondes, parents funestes, de quel droit m'avez-vous privé de la tendresse et de l'amour auxquels j'avais droit?

Je me rends à la messe de sept heures. Les cloches sonnent; leur bruit me coupe en deux. Je revois toute mon enfance et une petite phrase me vient à l'esprit, que j'ai lue plusieurs fois dans une chapelle de Beauvoir: "Voilà ce coeur qui a tant aimé les hommes." Pourquoi cette pensée habite-t-elle mon esprit en ce matin de fuite?

En écoutant la messe, je relis ce quatrième commandement de Dieu: "Tes père et mère honoreras afin de vivre longuement." Mon Dieu, c'est de la foutaise ton histoire. Pour être honoré, il faut être honorable. Comme c'est bête! J'aurais voulu l'aimer ma mère. Malheureusement, elle ne m'a pas enseigné l'amour. Elle a fait tout ce qui était inhumainement possible pour que je la haïsse. C'était ça son rôle. Elle l'a merveilleusement joué.

Je suis un chieux et un chieux je resterai. Quoi que je fasse, c'est l'idée que l'on s'est fait de moi et il n'y a pas de raison que ça change. Mais pour moi c'est fini. Je décroche. Je tourne la page. J'abandonne. Je les débarrasse de ma présence détestable. Vas-y mon Marcel, où que tu ailles, ça ne pourra pas être pire.

Deuxième partie

En pénitence

J'ai trouvé l'endroit où je vais demeurer. Ma première chambre. Elle va me coûter huit dollars par semaine. Je suis inquiet, j'ai peur d'être recherché par la police car je n'ai pas encore dix-huit ans. J'ai le coeur gros et je n'arrive pas à rester seul; j'ai un besoin constant de parler à quelqu'un. La dame qui m'a loué la chambre est très aimable. Je lui raconte que je suis parti de chez nous depuis ce matin. Elle est vraiment peinée la vieille, mais elle désapprouve mon geste. Son garçon, surnommé Kiki et âgé d'environ vingt-cinq ans, rit plein la gueule à m'entendre. Il me dit que j'ai bien fait de foutre le camp.

La dame garde aussi un autre chambreur. Il a à peu près trente ans et ne travaille pas. Il vit du crime. Je me lie très vite d'amitié avec lui. Il a une Pontiac 1952; on va pouvoir rouler et avoir du plaisir. C'est ce que je cherche.

Kiki vient me voir dans ma chambre et me dit: "Le grand, si tu veux, on va s'asseoir sur le bord du lit on va se masturber pour voir celui qui jouit le plus rapidement." Profondément ému et gêné, je refuse, au risque de me faire détester, et je l'envoie au diable. Par la suite, nous restons bons amis, mais je me tiens sur mes gardes.

Je me mets à la recherche d'un emploi. Un jour, tandis que je marche sur la rue Wellington, je vois venir mon grand frère. Je sais qu'il prie beaucoup, qu'il va à la messe tous les matins et tous les soirs, qu'il récite son chapelet en arpentant sa chambre à coucher et le corridor et qu'il connaît par coeur le plus grand commandement de Dieu: "Aime ton prochain comme toi-même pour l'amour de Dieu." Je le regarde donc s'approcher en me disant qu'il est le candidat idéal pour m'aider. Mais je me suis lourdement trompé. Il me dit "Bonjour" d'un ton sec et ajoute: "T'as les dents pourries, hein?" Je le fuis comme la peste. J'aurais préféré qu'il me tue sur le champ. Peu de temps après, je rencontre ma petite soeur que j'aime bien. J'essaie de l'aborder, mais elle me dit très froidement: "Maman nous défend de te parler si on te rencontre." J'ai de la misère à reprendre mon souffle. Je n'insiste pas et je la laisse aller.

Je fais application au restaurant Chez Pascal, rue Nelson, comme plongeur. On m'engage pour soixante dollars par semaine. Je n'aime pas mon travail, je trouve humiliant de laver la vaisselle. Mais au moins je suis très bien nourri. Je tiens le coup quelques semaines, puis je laisse mon emploi pour aller travailler, comme plongeur encore, au restaurant Roy, ensuite je passe au Steak Grill, puis chez Picard, au restaurant Porte-Bonheur, au Nouveau-Québec, au Nouveau-Nelson, au café Raymond, au restaurant du départ. Mon intention principale, celle qui ne me quitte jamais, est de fourrer mes employeurs. Quand je sors les poubelles — ça fait partie du travail de plongeur — elles sont remplies de cartons de cigarettes, ou de belle vaisselle, ou de cannages: des mélanges aux fraises ou aux cerises. Je me fais de solides provisions. J'étudie soigneusement tous les recoins de l'endroit où je travaille pour y faire un jour un vol par effraction. J'ai appris, très vite et très jeune, que le crime est payant. Il suffit de ne pas se faire voir. Et de toute façon, si on me pince, on ne me battra sûrement pas aussi méchamment que ma mère le faisait.

C'est dimanche, je décide d'aller à la maison. J'ai très peur d'être mal reçu mais j'y vais quand même. Cela fait un mois que je suis parti et je veux donner des nouvelles à mon père. Il m'accueille gentiment, s'informe de moi. J'apprends que ma mère a pleuré pendant une semaine lorsque j'ai sacré mon camp. Je la comprends. Elle a perdu le salaire que je lui remettais et son meilleur serviteur. Mais elle m'a très vite remplacé. Ce sont mes deux petites soeurs qui se partagent maintenant la tâche. Ma mère me parle grossièrement;mes frères et soeurs me battent froid. Après une demi-heure, mon père fait semblant de s'endormir et me dit: "Marcel, tu vas m'excuser mais j'ai travaillé fort cette semaine et je vais aller m'étendre un peu. Si tu veux jaser, viens t'asseoir sur le bord du lit et on va parler." Ma mère s'écrie: "Lui, je ne veux pas le voir dans ma chambre." Je prends mes jambes à mon cou et je fuis. Les jours suivants, j'ai des idées de suicide. Mais avant, je vais faire brûler la maison pendant que tout le monde dormira, ou je vais m'acheter un bon fusil pour tuer ma mère salope. Mais je laisse faire, j'en ai vu d'autres et je ne peux m'empêcher d'espérer que le temps arrangera les choses.

Je n'ai plus d'emploi. Personne ne veut me garder et je comprends très bien l'attitude de mes employeurs. Il me vient une idée. Je vais faire application pour m'enrôler dans l'armée, dans le rôle du 22e régiment. je réponds rapidement au questionnaire et l'officier qui me reçoit m'accepte. Au moins, j'aurai un bon lit, un petit salaire et quelque chose à me mettre sous la dent.

La discipline est très sévère; il me semble que tout le monde me hait. Pour me faire aimer et accepter des autres, je joue des tours pendables. Une nuit, avec un compagnon, je retourne le lit d'un camarade. Il se retrouve par terre sous son matelas. Tout le monde est réveillé et le bal commence. Personne ne dormira cette nuit-là. Je m'empare de l'extincteur et j'arrose ceux qui font mine de se rendormir. En moins de temps qu'il ne faut pour le dire, tout est inondé. Il faut se déshabiller pour mettre des vêtements secs; mais je déteste ça. Je déteste mon corps, surtout mes pieds, que je trouve hideux; je n'ai jamais osé enlever mes bas devant quelqu'un.

Trois semaines plus tard, je me brise une cheville. Je joue le jeu du type très mal en point et on me signe ma *discharge*. L'armée n'est pas pour moi, je supporte mal la discipline. Mais je n'ai plus un sou et ne sais plus où aller; je n'ai même pas d'argent pour me payer une chambre. Je me rends au poste de police rue Dupuis pour demander de l'aide. Le représentant de la loi me répond qu'il ne peut pas me garder en cellule car je n'ai enfreint aucune loi. Il me conseille d'essayer la maison Saint-Pierre, un centre d'accueil. Elle est située juste en face, de l'autre côté de la rue. Un homme âgé, au visage tout ridé, mais très sympathique, m'ouvre la porte. Il me fait asseoir pour attendre l'arrivée du supérieur. Il m'explique qu'on ne pourra me garder car je suis beaucoup trop jeune. "La maison Saint-Pierre, me dit-il, est réservée aux robineux et aux sans-abri. Je me serais fait robineux si j'avais su! Les "pensionnaires" commencent à entrer; ils sont très mal habillés, mais leur linge est propre. Personne ne fait de bruit. J'entends sonner les chaudrons et les ustensilles; c'est le souper qui se prépare. Je me fous d'être en compagnie d'une bande de vieillards délabrés, tout ce que je demande c'est de décrocher un repas chaud. Le patron arrive et me fait passer dans son bureau. C'est une armoire à glace. Il s'appelle frère Gérard. Sa soutane ressemble à celle que je portais lorsque j'étais servant de messe. Il a l'air sévère. "Va souper, me dit-il, et ensuite reviens me voir." Ça y est! J'ai gagné mon repas chaud. Une soupe, quelques saucisses au lard, des patates et des légumes. Puis du dessert, un breuvage et du thé en abondance. Bon Dieu, comme j'en profite! À table, personne ne parle; je crois que le silence est obligatoire. Le repas terminé, je rencontre à nouveau le frère Gérard et je lui raconte brièvement mon histoire, mais il m'informe qu'il ne pourra me garder longtemps à cause de mon jeune âge.

Au deuxième étage, tout le monde dort. Le dortoir est très grand. Les lits sont placés côte à côte. Je m'assois sur le mien et regarde tout ce beau monde; c'est effrayant, on dirait des corps morts allongés. Ce n'est pas moi qui suis ici dans ce lit, c'est impossible, je ne peux y croire. Je m'endors en pleurant dans le pyjama trop grand prêté par la direction.

Pendant une semaine, je cherche un emploi. Je ne trouve rien. Je me suis brûlé à voler mes patrons. Je réalise maintenant le tort que je me suis fait. Les jours passent et je deviens de plus en plus agité et maussade. Un soir, après le dîner à Saint-Pierre, je comprends que ma fin est proche. On me dit que je dois faire mes bagages. Allons, Marcel, exécute-toi. Ton temps ici est fini.

Après le lunch, la place se vide. Il est trois heures et je me retrouve seul dans la grande salle. La porte de la cuisine est gardée par un gros berger allemand. Je le regarde droit dans les yeux. J'aimerais être à la place de ce chien. Lui, on s'en occupe, on le flatte même. On a du respect pour lui, on ne le traite jamais de charogne, on ne le menace jamais d'un coup de hache dans le front. Ce soir, il a reçu sa pitance pour avoir gardé la porte de la cuisine. Je deviens fou de rage en réalisant qu'on *attache* ce berger allemand pour ne pas qu'il s'en aille, tandis que moi, on me pousse dehors. La fureur m'envahit. Je saisis la grosse brosse à plancher qui est accrochée au mur et je lui maudis une volée. Je me fous de me faire mordre; je me fous même qu'il m'égorge. Je le frappe abondamment; la bête hurle à pleins poumons, comme je hurlais lorsqu'on me frappait. Bien sûr, je me fais pincer et on m'expulse *manu militari.*

De peine et de misère, je me déniche un emploi de nuit à la Conrad Textile. Je gagne soixante dollars par semaine. J'habite juste en face de chez mes parents. Ça me permet d'étudier leurs allées et venues. C'est incroyable le nombre d'heures que j'ai passées dans le carreau de ma fenêtre pour tenter de voir un des miens. La situation devient vite intenable. Je n'arrête pas de guetter et ça me rend fou. Malgré la gentillesse de mon propriétaire et de sa maîtresse, je déménage et je m'installe dans un quatre-et-demie, avec trois gros hommes forts. Ce sont des couvreurs de métier. L'un d'entre eux, Charles, est un fervent pratiquant. Pas une phrase ne sort de sa bouche sans qu'il ne parle du bon Dieu. Il fait partie des A.A.

Il ne tarde pas à s'apercevoir que j'ai besoin d'aide. Les deux gros hommes avec qui j'habite me soutiennent eux aussi, mais ils sont plus radicaux, plus sévères. Ils tentent de me sortir de ma léthargie en me faisant violence. Je refuse tout. Je ne veux même plus manger, ni me lever. Je ne pense plus qu'à me détruire et à tuer ma mère d'abord.

J'hésite cependant: si je me tue seul, ma mère aura ma mort sur la conscience. Ne serait-ce pas le plus grand mal à lui faire? Elle souffrirait à son tour. Mais je n'ai pas d'arme. Il y a bien le rasoir à lame de Charles dans la pharmacie, mais ça doit être horrible de mettre fin à ses jours avec ce truc-là. Ma tête tourne. Je m'étends de tout mon long sur le dos. Pourquoi ce maudit coeur n'arrête-t-il pas de battre? Comment l'arrêter sans trop de souffrances? Mais non, il s'obstine à battre; il se fout de mes pensées, de ma tristesse. Il bat. Il bat si régulièrement que je m'endors...

On frappe très doucement à la porte. Un visiteur entre sans faire de bruit. Il a une petite valise de vendeur à la main. Je le regarde, il est très bien coiffé, très bien mis. Il me regarde avec un léger sourire. On dirait que chacun de ses gestes est minutieusement calculé. Il me tend la main, je lui donne la mienne. Ensuite, il dépose doucement sa valise sur la table. Je l'examine sans rien dire. Tiens, me voici maintenant assis sur une chaise droite! J'essaie de voir à l'intérieur de la valise tandis que mon visiteur enlève son imperméable. Je lui demande: "Qu'est-ce que tu me veux? — Chut", répond-il. Il enfile des gants blancs. Sa lenteur m'exaspère. Alors il se penche sur la valise et y prend une arme qu'il pointe vers moi. J'ai peur mais je n'ose pas crier. Il recule lentement vers la porte comme pour me barrer la sortie. Mais il heurte une chaise. Poliment, très poliment même, je lui dis de faire attention. Il me sourit, s'appuie sur la porte et dirige calmement l'arme sur moi, en ajustant son tir. Je lui crie: "Pourquoi moi?" Il me répond: "Je suis venu te tuer parce que tu veux en finir avec la vie." Je pousse un cri terrible pour lui faire peur... et je me réveille! Charles arrive et je lui explique que pour la première fois, je suis fier d'être en vie. Ma nuit de sommeil est bien écourtée, mais j'en profite pour méditer sérieusement. Pourquoi avais-je si peur de mourir? Pourquoi ai-je refusé la mort alors que je l'appelais de toutes mes forces?

Avec l'aide de Charles, j'entre à Saint-Lambert, refuge des A.A. J'y rencontre le patron, Brûlotte. Il a l'air très sévère mais je suis convaincu que c'est un gentilhomme. Il m'accepte dans cette maison, pourtant je ne suis pas alcoolique. Je fréquente la salle de conférence pour écouter celui ou celle qui rend un témoignage. Ça ne m'aide en rien d'entendre l'histoire des autres, au contraire. Mais je reste à l'écoute quand même.

* * *

Noël arrive. Inutile de décrire dans quel état je suis. Je me rends chez mes parents. Personne ne veut me voir; ma mère fuit dans sa chambre, et mes frères et soeurs font de même. Je reste donc seul avec mon père. Il s'informe un peu, mais je sens que ma présence est de trop, je sens que je l'embête. Il ne m'offre même pas un verre d'eau. Je tente d'entretenir la conversation, mais c'est impossible, il ne répond que par oui ou par non. Je continue à monologuer. Au bout de trois quarts d'heure, il me dit: "Ne parle pas trop fort, je crois que ta mère est couchée, parle tout bas." J'ai envie de l'étouffer, alors il vaut mieux que je m'en aille. Je retourne finir ma journée avec les A.A. Je raconte mon histoire à un habitué. Je suis désespéré. Plutôt que de souper, j'avale une grosse bouteille d'aspirine avec un restant de coke. La réaction ne se fait pas attendre. Les oreilles me bourdonnent incroyablement. Je refuse de parler, même pas à Charles qui vient me voir étendu sur mon grabat. J'ai l'allure si louche qu'on m'envoie à l'Hôtel-Dieu. Là-bas tout se déroule rapidement; on me donne un lavement d'estomac avant que j'aie le temps de protester.

Mon comportement n'a pas plu au directeur. Il me dit que j'ai posé un geste insensé et stupide. "De toute façon, ajoute-t-il, tu n'es pas à ta place ici. Ces hommes ne sont pas de ton âge et ils ont un grand besoin de tranquillité. Il faut que tu t'en ailles."

Alors, je retourne à mon ancien logis. Je flâne, je perds mon temps, je n'arrive pas à m'occuper l'esprit. Je me laisse aller au vent. Je végète, je n'ai de goût à rien, trop tourmenté et troublé par l'ennui et la solitude.

Quelques jours plus tard, l'abbé Dieudonné, que j'ai connu aux A.A., me propose d'aller passer quelque jours à St-Georges-de-la-Rive. je fais ma valise et il vient me conduire. Le moine en chef nous accueille; il a les pieds nus dans ses sandales. Je suis horrifié en les voyant. J'ai une courte discussion avec lui, mais j'ai de la difficulté à le regarder en plein visage, mon regard n'est attiré que par ses orteils. Moi qui déteste les miens, je ne comprends pas comment il fait pour exhiber ainsi les siens. Je suis profondément gêné.

Mes trois jours à l'abbaye me paraissent très longs; je m'ennuie. Je me demande ce que je fais là. Les prières ne me disent plus rien du tout. Alors je rentre chez moi, où les propriétaires acceptent de me garder par charité.

Un jour, je rencontre Micheline, la fille des locataires de mes parents. Elle ne se montre pas farouche quand je lui demande de l'accompagner. C'est la première fois que je me promène la main dans la main avec une fille. Mais voilà que nous rencontrons mon père juste au tournant de la rue. En nous voyant, il devient blême et passe sans dire un mot. Je me débarrasse de Micheline. Je ne veux pas faire de peine à mon père.

Quelques jours plus tard, je le rencontre près de l'église Christ-Roi. Il me dit sévèrement: "Tu sais, c'est pas correct ce que tu as fait avec Micheline." Je le rassure en lui disant que je ne la vois plus. Puis je lui demande: "Pensez-vous, papa, que je puis aller vous voir à la maison sans que maman ne dise rien?

— Non, Marcel, j'aime mieux que tu ne viennes pas. Ta mère ne veut pas te voir et lorsque tu viens, c'est moi qui mange les bêtises. Si tu veux, on se rencontrera ailleurs pour éviter les troubles."

Je tente d'approcher notre visiteur l'abbé pour qu'il intervienne en ma faveur. Mais ce digne représentant de Dieu ne se mêle de rien. Son repas de fin de semaine vaut beaucoup plus que moi et s'il veut le conserver, il vaut mieux qu'il la ferme.

Depuis l'aventure avec Micheline, je pense beaucoup aux filles, et quand mon copain Charles vient me voir et me dit: "Marcel si tu veux, je te donne ma blonde", j'en oublie complètement mon père et ses réticences. Charles est d'une charité incroyable: son amie a dix-neuf ans et elle est très belle. Le premier soir, nous ne faisons que jaser. Elle me dit que son père ne veut pas qu'elle fréquente des garçons avant d'avoir vingt-et-un ans. Nous discutons, cachés entre deux maisons, puis nous décidons de marcher un peu. Je la laisse parler. Elle est très nerveuse; je sens sa main qui se crispe continuellement dans la mienne. Alors je la serre très fort pour la maîtriser. Chemin faisant, elle me demande en mariage. Ça me donne un solide coup entre les deux oreilles. Je suis tellement éberlué que j'ai de la difficulté à mettre mes idées en place. Ma grande foi, elle est folle raide la blonde à mon ami Charles.

Le lendemain, je raconte tout à mon copain. Il éclate de rire lorsque je lui révèle qu'elle m'a demandé en mariage. Il me dit qu'elle lui a fait la même proposition la veille! J'ai hâte de la revoir malgré tout, et je frissonne à l'idée d'être à nouveau avec ma blonde.

Ce soir, ses parents sortent pour aller veiller. J'entre chez elle, elle m'attend. Elle se pend à mon cou. On va passer la soirée tous les deux sur le grand sofa. Mais tout ce qui sort de sa bouche, c'est le mot mariage. Elle me répète sans cesse: "Je veux marier un homme."

— Je te promets que oui, je te marierai, mais impossible ce soir car la paroisse juste de biais, Notre-Dame-du-Perpétuel-Secours, est fermée."

Elle me prend la main et la pose sur ses seins qui sont très durs. Mais je veux voir en plus de toucher. Je veux tout voir, absolument tout. Je lui détache sa blouse, c'est du jamais vu de si près. Ensuite, je veux lui faire l'amour mais elle refuse en me disant que si monsieur le curé l'apprend, elle se fera mettre à la porte de l'église. Elle est encore vierge. "Marcel, il faut se marier avant tout.

— Bon Dieu de mariage! que je lui réponds."

Le lendemain, elle vient me voir chez moi, mais ma logeuse nous surprend et fait une méchante colère. "Vous ne viendrez pas salir ma maison, vous autres. Toi, mon gars, trouve-toi une job et va-t'en d'ici." J'en ai assez. Ma blonde, je l'amènerai ce soir sur le bord de la porte de l'hôtel Sélect et je la transférerai à un ancien camarade de travail, un cuisinier du restaurant Chez Pascal. Pas de mariage pour moi. Tout ce que je récolte en fin de compte, c'est de me retrouver seul et sans gîte. La vieille m'a carrément mis à la porte pour le geste que j'aurais pu poser. Elle est morte quelques années plus tard. Heureusement, c'est une espèce en voie de disparition. Un cas de plus pour les anthropologues.

Il ne me reste qu'une chose à faire, me rendre au poste de police et demander de l'aide. Je m'y rends et, l'air tout penaud, je dis au policier: "Monsieur, je n'ai pas de place pour coucher ce soir, puis-je rester ici?

— Je ne peux pas te garder ici parce que tu n'as rien fait de mal, je ne peux ni te garder, ni t'arrêter." Nous sommes en octobre, il commence à faire froid et ça me tourmente. Il est passé minuit, je n'ai qu'un petit *jacket* d'été sur le dos et il fait froid. J'ai trouvé! Je vais tenter un vol par effraction dans une cantine. Bien entendu, je me fais pincer et on m'amène au poste de police, où, après m'avoir fait vider mes poches, on me met dans la cellule. C'est incroyable! Une grosse porte de fer, un lit sans matelas, des murs très sales, un châssis plein de barreaux et une toilette crottée à l'extrême. Je passe la nuit sans qu'on me donne ni draps ni oreiller. C'est ma première nuit en prison. Mort de fatigue, je m'endors sur le matelas de fer.

Le matin, avant ma comparution, le capitaine détective me fait passer dans son bureau et me parle poliment et très délicatement. Il me lit la plainte qu'il a formulée contre moi. Puis il ajoute: "Ce ne sera pas grave, tu n'auras aucune sentence pour cette affaire. Signe ici, Marcel, en bas." Je signe la déclaration. Je viens de m'avouer coupable! Cet espèce de salopard a soigneusement évité de me dire que cette signature ouvre mon dossier criminel.

> *Marcel M..., 18 ans, d'adresse inconnue, a illégalement tenté de pénétrer par effraction, le 23e jour d'octobre 1965, en l'année de Notre-Seigneur, dans la luncheonette propriété de Roland Charbonneau dans l'intention d'y commettre un crime, contrevenant ainsi au code criminel du Canada et à ses amendements. Plaidez-vous coupable ou non coupable? "Coupable." La cour sursoit au prononcé de la sentence à la condition que l'inculpé souscrive un engagement personnel de ne pas troubler l'ordre public et d'observer une bonne conduite pendant un an.*

Sherbrooke, 25 octobre 1965
Rober Massicotte
Juge des sessions de la paix.

Ça y est! Je suis libre. Mais on me dit que j'ai maintenant un dossier criminel qui me suivra toute ma vie. Un dossier digne d'un charognard, d'un baveux, d'un chien, d'un écoeurant, d'un cancre, d'un Sent-la-marde, d'un mouron, d'un hérisson, d'un morveux. Ma mère avait raison. Elle avait raison, ma salope de mère, et ça fera sûrement son affaire lorsqu'elle apprendra l'existence de ce merveilleux dossier!

Je commence à raisonner: J'ai passé une nuit en tôle, je ne suis ni mort ni blessé et, à bien y penser, d'autres y sont passés avant moi. Mais j'ai maintenant ce qu'il y a de plus grave au monde, un dossier criminel. Partout où j'irai pour solliciter un emploi, l'employeur saura que je suis un voleur et tout de suite. En clair, ça veut dire que je n'ai plus rien à perdre. Je n'ai plus de famille, plus d'amis, plus de gîte, pas un sou et un dossier.

Je vais voir Lulu, le gars qui m'a hébergé pendant deux mois, et je lui raconte mon histoire. Il n'en croit pas ses oreilles. Je lui demande le gîte car l'hiver approche. Il accepte par charité. Pour éviter de lui coûter cher, je mange très peu. Souvent, à son insu, j'ouvre les portes des armoires pour trouver quelque chose à me mettre sous la dent. Je suis habitué à ce petit jeu pour l'avoir fait souvent chez moi.

Parfois Lulu me pince les doigts dans l'armoire. "Pourquoi, Beau-Blanc, te caches-tu pour manger? Pourquoi tu fais ça?" Je suis tellement rouge et gêné que je n'ose rien répondre. J'ai toujours agi comme ça. Lorsque j'étais dans l'armée, c'était la même chose, j'essayais de tout prendre à la cachette, car, ayant une peur terrible d'en prendre trop, je me servais très mal et je crevais de faim. J'ai grandi comme ça et encore aujourd'hui, à trente-huit ans, ça me prend tout un coup de pied au cul pour manger à la table des autres. Si je suis revenu chez mon ami Lulu, c'est parce que je le sais simple, simple comme bonjour. Jamais je n'oserais m'asseoir à la table d'un riche. Je déteste ma bouche. C'est vrai que j'ai quelques caries. Je trouve ma bouche dégueulasse. Est-ce que je vais devoir manger avec cette sale gueule toute ma vie?

J'ai de plus en plus, chaque fois que je me regarde, le goût de me détruire. Que faire? Plutôt que de rester dans mon coin à rouler des pensées sinistres, je rôde, toujours à l'affût. Le meilleur moyen d'oublier ma misère, c'est de me liver à l'apprentissage du vol. J'ai le goût de réussir là-dedans, d'apprendre à m'organiser, à calculer mes chances, à évaluer mes profits. Mais mes premières tentatives continuent à être lamentables...

> *Marcel M... 19 ans, a volé deux leurres à pêcher d'une valeur d'environ 6.00$, propriété de Jules Ouellet, le ou vers le 12 avril 1966 dans la cité de Sherbrooke, et une lampe de poche d'une valeur d'environ 2.00$, propriété de Henri Ladouceur, contrevenant ainsi, dans chaque cas, aux articles 269 et suivants du Code Criminel du Canada et à leurs amendements. Accusé, plaidez-vous coupable ou non-coupable? "Coupable." Sentence: 2 semaines d'emprisonnement.*

Sherbrooke, 18 avril 1966
Robert Hutchison
Juge de district.

Me voilà les menottes aux mains et attaché à un gardien de prison. Ma gorge est sèche, j'ai une énorme difficulté à avaler ma salive. Je ne peux blâmer mon juge, il n'a fait que son travail. L'avocat de la couronne l'a informé que j'avais déjà signé, il y a six mois, un engagement personnel de garder la paix pendant un an. J'ai manqué à ma promesse.

On arrive à la prison Winter. Je rencontre le gouverneur Mr Chouinard. Il me salue poliment. On me fait descendre à la cave. Deux officiers sont assis à leur bureau et ordre m'est donné de me mettre à poil. Pas question, je ne me déshabillerai jamais. On me menace de m'envoyer au trou. Comme j'ignore de quoi il s'agit, on m'explique poliment ce que veut dire cette menace. Je m'exécute alors et je me mets nu devant mes deux geôliers. Moi qui déteste mon corps! Je fonds en larmes. "Pourquoi pleures-tu?, me dit l'un d'eux très gentiment. Tu savais ce que tu faisais cette nuit, n'est-ce pas?" Après la douche, on me remet l'habit du prisonnier: une chemise brune, un pantalon couleur jean, une grosse paire de bottines noires et des bas de laine. En route pour la cellule.

Je partage une aile avec cinq autres détenus. À onze heures, je me plonge dans la solitude en entrant dans la cellule privée dans laquelle je vais dormir. Le lendemain, je demande à voir le gouverneur pour lui dire que je ne suis pas capable de supporter les bas de laine. On m'accorde la permission de mettre des bas de coton. De la laine, je n'en porterai jamais plus. Je me souviens trop de cette maudite chemise grise que ma mère m'obligeait à garder sur le dos des semaines entières.

La soupe nous est servie dans une gamelle et le repas principal dans un cabaret. On a une demi-heure pour manger, puis nous avons droit à une heure de marche. Ensuite, tout ce qui nous reste à faire en attendant l'heure du coucher, c'est de déambuler de long en large dans le grand hall. Certains détenus ont un petit transistor qu'ils ont acheté à la cantine ou qu'ils se sont procurés à l'extérieur.

Comme le dimanche ne compte pas en prison, on me le décompte de mes jours d'incarcération. Je vais à la messe pour tuer le temps, mais prier ne m'intéresse plus. Je refuse même de parler à l'aumônier. Je me rappelle trop notre visiteur l'abbé, qui venait se remplir la panse chez nous à tous les samedis.

* * *

Je suis libre. Mais sans une cenne. Rien dans les mains, rien dans les poches, excepté un paquet de *Zig Zag*. Où aller? Je vagabonde à qui mieux-mieux, inspectant l'intérieur des véhicules en stationnement dans l'espoir d'y trouver quelque chose à prendre, une caméra, une radio, un paquet de cigarettes.

Un soir, alors que je fais ma ronde habituelle autour des automobiles garées le long de la rue Grant, j'en trouve une dont la porte n'est pas verrouillée. Il y a un transistor sur la banquette. Je le pique sans faire de bruit. Le lendemain, je le vends à un client de la taverne de l'Hôtel Wellington pour trois dollars. Je dévisage mon acheteur. Il n'a pas froid aux yeux. Ses gros bras sont presqu'entièrement tatoués. Ma tête se met à tourner très vite. On dirait que j'ai du courant électrique qui me passe partout sur le corps. Je deviens moins gêné et de moins en moins timide. Nous commençons, mon acolyte et moi, à faire du tapage. Un verre tombe et se casse. Un *waiter* nous regarde avec des gros yeux de boeuf. Il vaut mieux sacrer notre camp.

Nous nous rendons, moi et mon homme, rue Garant. C'est là qu'il demeure. Il me dit qu'il en a assez de vivre dans cet endroit. On fait un vacarme terrible en montant les marches; on lâche notre fou. Lui, il défonce le mur d'un solide coup de poing et moi j'arrache la porte de la chambre de bain et je fracasse le grand miroir de la salle de toilette. On prend ensuite la décision de fuir mais la police nous accueille en bas. Nous irons refroidir nos ardeurs au poste.

Le lendemain, on me relâche, mais je ne profiterai pas de ma liberté bien longtemps. Je ne pense à rien d'autre qu'à m'emparer du bien d'autrui. Je n'ai aucune ambition honnête, aucun goût, aucune raison de vivre, si ce n'est de tenter de vivre des fruits du crime. Je me suis procuré une petite barre à clous de douze pouces de long, que j'ai placée dans ma manche, et je fais la rue la nuit. Bien sûr, je me refais pincer, pour me retrouver entre les pattes de Zénon Bolduc. Je suis devenu un habitué des menottes et du poste de police.

En route pour la prison Winter. Je vais y passer mon premier été. En l'espace de neuf mois, je me suis présenté quatre fois à la Cour des sessions et trois fois devant le juge Massicotte. Mais je ne l'accuserai jamais d'avoir été salaud avec moi. Je comprends qu'il se doit de m'éloigner pour protéger la société. Mais pourquoi ne s'est-il jamais donné la peine de me demander la raison pour laquelle j'agissais de la sorte? Pourquoi ne s'est-il pas penché sur mon cas? Parce qu'un juge ne s'abaisse jamais à parler à un prévenu.

Voilà maintenant dix jours que je suis en prison. On vient me chercher pour une visite. Je suis fort surpris parce que je sais depuis longtemps que je n'ai à espérer aucune visite de ma famille. J'arrive au parloir. Je reconnais mon homme. C'est le détective promu sergent, Zénon Bolduc. Je lui dis: "Y'en a au moins un qui travaille dans votre poste de police!" Il rit. Je sais fort bien que Bolduc ne me fait pas une visite au parloir par esprit de charité ou d'encouragement. Ma petite barre à clous a dû faire son chemin. Le sergent me dit qu'il a visité ma chambre et qu'il y a retrouvé des objets volés: une montre, un transistor, un radio de table, des gâteaux, des palettes de chocolat, une brocheuse et des articles de toilette. Je comprends le but de sa visite. Il vient me reprocher huit crimes. Tous les objets volés ont été identifiés par leur vrai propriétaire. J'ai peu de chances de me sortir de cette histoire, à moins de plaider coupable pour en finir vite. Je me mets donc à table comme il me le propose, avec l'assurance que j'aurai une peine de prison très minime en raison de ma collaboration avec la police et du fait que je n'ai jamais fait usage d'arme à feu ni de violence.

Ma première occupation est de compter les jours que je passerai en prison. Chaque dimanche sera soustrait de ma peine. Il y en a trente-six. Je sortirai au début de mars 1967.

On me place dans une aile où je fais la connaissance de plusieurs prévenus. Ceux-ci n'étant pas encore jugés, ils ont le droit de porter leur linge civil. Ils ont été refusés à caution, leur crime est trop grave. Je vis avec deux frères de Saint-Hyacinthe qui sont en instance de procès pour un gros hold-up et avec un autre prévenu que l'on accuse d'avoir éventré un coffre-fort. C'est amusant de les entendre raconter leurs méfaits, ça fait passer le temps. Je voudrais qu'il en entre d'autres afin d'entendre d'autres histoires. C'est mon seul désennui.

J'ai beaucoup de difficulté à m'endormir. Que tu sois fatigué ou non, tu entres dans ton étroite cellule, sans eau et sans toilette, à onze heures. Pas question de faire de la marche, c'est trop étroit. Le lit peut se rabattre au mur, mais il n'y a aucun crochet pour le retenir. Je demande à l'infirmier de me prescrire quelque chose pour dormir. On me donne du *valium*, un chaque soir. Je n'ai qu'un seul but: en ramasser suffisamment pour m'empoisonner. Pas de chance, on fouille ma cellule et on retrouve les trois pilules que j'ai cachées. Impossible de faire ce que je veux de ma vie. On veille soigneusement chaque soir à ce que j'avale bien ma pilule. "Ouvre ta bouche, lève ta langue."

Le jour, je marche sans arrêt, en faisant claquer mes grosses bottines sur le plancher de bois franc. On dispose d'un damier, mais il y en a très peu qui en font usage. Il y a dans le passage un haut-parleur qui diffuse de la musique. Un soir, la direction oublie de changer de poste. On entend le chapelet récité par Mgr Cabana, archevêque de Sherbrooke. J'ai cru qu'il allait y avoir une émeute! Tout le monde criait et bûchait. "Pas question d'écouter le chapelet ici! Changez de poste et ça presse!" C'est un gardien appelé "Oeil de faucon" — on l'a baptisé ainsi parce qu'il doit lever la tête s'il veut voir des deux yeux en même temps —, qui a voulu faire du zèle.

Celui qui fait la ronde ce soir me reconnaît. C'est un ancien menuisier qui a travaillé avec mon père. J'apprends qu'on a parlé de mon incarcération dans le journal régional. Tout compte fait, je suis mieux ici qu'à l'air libre. J'ai un toit, du linge toujours propre à me mettre sur le dos et je suis nourri et logé. Ici, je peux me faire aimer; à l'air libre, c'est impossible. Ceux qui ont osé m'aider ont fini par me repousser, déçus par mon instabilité et mon ingratitude. Je ferai donc carrière en prison. Mais, pour réussir, il faut que je devienne un dur à cuire. J'ai quelque chose d'assez particulier qui joue en ma faveur: je n'ai peur de rien, d'absolument rien, même pas de la mort.

Je décide de tout mon avenir, un soir, dans ma cellule. Je deviendrai un spécialiste de l'effraction. Je me suis fait pincer bêtement pour des peccadilles, mais ça c'est du passé. Le vol par effraction, ça me fascine; c'est un travail de nuit et j'aime opérer seul la nuit. Je ne blesserai jamais personne et je ne mettrai jamais la vie des autres en danger, excepté bien entendu la mienne, mais ça, je m'en fous. Je veux devenir un hors-la-loi, un criminel et peu importe le prix à payer. Et un jour, je retournerai chez moi dans ma luxueuse Lincoln Continental.

J'apprends la loi des détenus. Fais ton temps et apprends en observant, en écoutant. Mais ne moucharde personne. Tu ne verras rien, tu ne sauras rien des complots entre détenus. Si tu veux te faire apprécier, fais gaffe. Joue au dur, joue au plus fort. Fais tout pour déranger l'administration. Dans la cour, garde tes grosses bottes détachées et ton manteau d'hiver déboutonné malgré le froid intense. Méprise les mitaines, marche la tête nue. Alors tu seras considéré comme un vrai dur à cuire. Voilà, je sais ma leçon par coeur. Je me gouverne en conséquence, m'estimant chanceux de n'avoir que neuf mois de prison alors que la peine maximum pour un vol par effraction peut être de quatorze ans.

Un jour, j'appelle un officier et je lui demande l'heure. Il me répond qu'il est midi et demi. "C'est bien, lui dis-je, à une heure, tu viendras me baiser le cul." Tout le monde s'esclaffe. Quand l'heure fatidique arrive, il vient docilement me baiser le cul, mais à sa façon: Il me fait descendre au trou avec un short comme seul vêtement. Pas de lecture, pas de fumage, pas de lit, pas d'eau, pas de toilette, et au pain sec et à l'eau pendant trois jours. Dans la noirceur totale. La seule chose que je peux faire, c'est marcher. Marcher sans arrêt jusqu'à épuisement. Je marche cinq pas ordinaires et je suis rendu au mur. Dans le haut de la pièce, il y a une petite ouverture pour laisser entrer la clarté et l'air. Le soir, à onze heures, on m'apporte une maigre couverture de laine. Je dors sur le ciment. Le lendemain, à sept heures, on m'enlève la couverture et on me donne mon déjeuner, cinq tranches de pain et un verre d'eau. Et je recommence à marcher. À midi, j'ai droit à un repas convenable. Le soir, cinq tranches de pain encore et un verre d'eau. Rien à lire, rien à voir, il fait très sombre. Le temps est terriblement long! Je laisse aller mon esprit à toutes sortes de rêveries. J'ai payé très cher ma farce plate, mais au moins je suis monté dans l'estime de mes voisins de cellule.

Après les fêtes, on me transfère à Bordeaux. Ma cellule est beaucoup plus grande et j'ai un châssis, une table accrochée au mur, une toilette et un lavabo. J'ai gagné quelque chose. Ce sera plus facile de terminer ma peine ici. C'est dans cette prison que je fête mes vingt ans. Un jour comme les autres, ni plus ni moins.

Je travaille à la buanderie ou à la cuisine. J'ai droit à deux paquets de tabac par semaine. Je le mélange avec du tabac à pipe *Alouette* pour en avoir une plus grosse quantité. Ce truc m'a été donné par d'autres détenus. Je regagne ma cellule à quatre heures, pour y faire les cent pas. La seule chose que je vois par la fenêtre, c'est la potence. Je marche sans arrêt. Je revis mon enfance, mes volées, les jours de fête; ça me fait terriblement mal, à tel point que je décide de faire la grève de la faim. Pendant trois jours, chaque fois qu'on ouvrira la porte de ma cellule, je dirai non. Non à la nourriture, non à la vie. Mais, encore une fois, ça ne fonctionne pas, mes gardiens ne veulent pas me laisser mourir. On me transporte *manu militari* à l'infirmerie, où je cohabite avec d'autres dépressifs. "Pas question de refuser de manger", me dit-on. Mais je m'obstine. Alors, on me fait étendre sur un lit et l'infirmier en chef m'annonce qu'on va me nourrir au sérum. J'arrache l'aiguille et je garoche la bouteille dans une vitre. En moins de temps qu'il ne faut pour le dire, je suis attaché et on m'administre une piqûre dans la fesse. Je dors pendant deux jours. À mon réveil, c'est à peine si je suis capable de lever la tête. Je ne peux plus bouger. Ce n'est pas étonnant, on m'a enfilé la camisole de force! J'ai les deux pieds attachés à des grosses lanières de cuir. Pas question de me tourner sur le côté ou sur le ventre. Je dois demeurer sur le dos. L'infirmier vient me voir et me dit: "Si tu veux uriner, t'as qu'à y aller dans ton lit." Maudite tapette d'infirmier, il va falloir que je fasse le résigné pour t'amadouer. "Bonjour monsieur l'infirmier, vous allez bien? Moi en tout cas, ça va bien." Il me regarde droit dans les yeux afin de savoir si je suis correct. Puis il consent à me détacher, mais je dois lui promettre de rester tranquille. On va me garder sous observation jusqu'à la fin de ma sentence.

Je me trouve bien ici, il n'y a pas de cellule, nous dormons tous dans la même pièce. L'après-midi, nous recevons une collation. Même si je ne travaille plus, j'ai quand même droit à deux paquets de tabac par semaine.

Celui qui couche tout près de moi est accusé d'avoir tué sa mère. Il a mon âge. Je ne lui pose aucune question. Il a du nerf celui-là, plus que moi. Moi j'en ai eu l'idée mais j'ai été trop lâche pour l'exécuter et je suis en prison quand même. Pourquoi ne l'ai-je pas fait? Mais est-ce que c'est vrai? Il me semble que ça doit être quelque chose de tuer sa mère. Je questionne plusieurs détenus, personne ne sait. Qu'ils aillent tous au diable!

Le jour de ma libération arrive. Il paraît que j'ai payé ma dette à la société! Reste à savoir si elle va vouloir de moi. En tous cas, je sais que je vais bientôt me retrouver dehors comme un chien, sans travail et sans un sou. Mes geôliers me recommandent le Y.M.C.A. Ça ressemble beaucoup à la maison Saint-Pierre mais on y est plus sévère. Il faut attendre l'heure des repas à l'extérieur. Tous les robineux sont collés à la porte et espèrent midi pour se précipiter dans la place. J'y vais mais je n'y passe qu'une seule nuit, je déteste vivre avec des robineux.

Le lendemain, je me mets en route. Je n'ai en poche qu'une pièce de vingt-cinq sous, et je ne sais même pas d'où elle provient. Tout en marchant sans trop savoir où je vais, je me souviens d'un oncle, le frère de mon père qui demeure à Longueuil. Je lui téléphone et lui raconte mon histoire. Lui, il a réussi. Il a une grosse maison, l'auto de l'année, quelques chevaux de course et des taxis. Il vient à mon secours et accepte de m'engager jusqu'à ce que je trouve un emploi. C'est pas possible, quelqu'un s'occupe de moi, ça tient presque du miracle. Il m'emmène chez lui. Je n'en crois pas mes yeux. Une superbe maison avec luxe et confort. C'est comme un rêve. On dirait un paradis: tout est impeccable, les tapis sont luxueux, il y a un sous-sol avec un immense bar. C'est beaucoup trop beau pour moi; je me sens tout de suite mal à l'aise.

Mon oncle m'ordonne d'appeler mon père. Il m'a bien recommandé de lui dire que si lui, mon père, m'a mis à la porte, mon oncle, lui, a le coeur de m'héberger. Pendant que je parle, il écoute sur une autre ligne. Mon père tente de s'expliquer. Je n'ai plus rien à dire. Je raccroche, tout près d'éclater en sanglots. Mon oncle me dit: "Tu vois Marcel, ce sont des salauds tes parents, ici tu seras bien."

Le soir, je pleure dans mon lit à cause de ce que j'ai dit à mon père. Il ne m'a jamais mis à la porte, c'est faux, archi-faux. Quelle bassesse ai-je commis? Mon oncle m'a eu par l'estomac; le salaud c'est lui.

Le lendemain, je trouve un emploi de plongeur. Lorsque j'aurai ma première paye, j'irai habiter près de mon travail. Mais mon oncle insiste pour que je termine la semaine chez lui, alors je reste. J'ai trouvé un appartement à partager avec un homosexuel. Maudite affaire. Ça ne me plaît pas mais je n'ai pas le choix, je n'ai pas les moyens de me montrer difficile. Mais la maudite tapette ne me touchera pas.

Le samedi, mon oncle vient me conduire à ma nouvelle demeure. Chemin faisant il me dit: "Marcel, ta mère m'a appelé hier et elle m'a dit de te mettre à la porte de mon domicile immédiatement parce que t'es un voleur. Si tu ne me crois pas, tu n'auras qu'à l'appeler." C'est ce que je fais et ma mère nie tout d'une voix craintive. je remercie mon oncle de m'avoir hébergé et je me prépare à le quitter quand il me dit: "Marcel,pour le taxi et pour t'avoir hébergé, tu me dois soixante-quinze dollars." Le salopard, chrétien pourri, je lui donne tout ce que j'ai en poche, environ la moitié de la somme. J'ai bien essayé de protester mais il m'a répondu sèchement: "Non, Marcel, moi je ne marche pas pour rien." Enfant de salaud. Tu ne l'emporteras pas en paradis! Je rentre chez moi, tout déconfit, avec un beau sujet de réflexion sur la famille!

Je ne suis pas heureux, j'en ai marre de vivre avec un homosexuel. Je le vois à la journée longue car il est cuisinier là où je travaille comme plongeur. Je me souviens alors d'une tante qui demeure dans le quartier est de Montréal. Cela fait de nombreuses années que nous nous sommes vus. Je lui téléphone et lui raconte mes déboires. D'une voix chaleureuse, elle m'invite chez elle illico. Je me précipite sans demander mon reste. Ma chère tante Julie! Comme je suis heureux de la retrouver cette vieille connaissance. Elle me dit: "Sois à ton aise ici." C'est pas possible, je la dévore des yeux, son regard est souriant et gai. Elle a le visage de la meilleure maman du monde entier. c'est vrai ma tante que je t'aime. Je te trouve belle. Pourquoi n'ai-je pas eu une maman comme toi? "Laisse, me dit-elle, tes parents ils ont eu de la misère à vous élever, ils n'ont jamais été riches et ils ont vécu des années difficiles." Est-ce qu'il faut être riche pour donner de l'amour? me dis-je en moi-même. Mais je me tais. Je me sens trop bien ici. C'est du jamais vu pour moi. Un foyer calme, très modeste, rien de luxueux, mais tout est propre. Je regarde sans me lasser. Ça sent la simplicité, la paix, le calme. Je profite de ces instants de bonheur immense que je n'ai jamais connu avant aujourd'hui. On dirait que tout est au repos ici.

Ma tante m'offre à manger. Enfin! Mais je suis gêné et je deviens rouge comme une tomate. Je refuse. Je suis trop mal à l'aise et je me sens indigne de manger à une si belle table, et s'il faut que mon oncle arrive sur les entrefaites j'aime mieux mourir. Manger dans ces beaux plats-là avec la gueule que j'ai, ça non, oh non! Je me sentirais beaucoup plus à l'aise si je pouvais manger sur le couvercle du bol de toilette ou encore à la cachette, comme j'y suis habitué. On dirait que ma tante Julie me devine, qu'elle sent mon malaise. Alors, elle prépare un repas copieux, fait une belle table, puis va s'asseoir au salon, me laissant seul... J'attaque mon repas, les deux jambes croisées, et je bouffe tout à une vitesse folle. Puis-je décrire ma crainte, ma gêne, mon angoisse? Je comprends maintenant les animaux qui avancent craintivement vers leur pitance lorsque celle-ci est servie par un inconnu. Je réagis de la même façon. J'hésite devant mon plat, je crains quelque chose, j'ai peur. J'ai grandi comme un fauve en cage et je me sens emprisonné. Pourtant, je me sens bien auprès de ma tante. Ses paroles douces et aimables me vont droit au coeur.

Tiens! Voici mon oncle qui arrive. Quand ma tante se lève brusquement pour lui ouvrir la porte, je prends peur et je me cache le visage derrière les avant-bras, comme si elle allait me frapper! J'ai soudainement revu ma mère, se levant d'un bond pour venir me foutre une taloche.

J'ai l'impression de comparaître devant mon oncle. Il a un regard glacé. Il ne cesse de me scruter. J'ai peur de ce qu'il va me dire, mais ma tante arrange tout. Elle lui dit qu'elle va me garder ici à coucher pendant quelques jours. Ça ne lui plaît pas du tout, mais il accepte et s'en va sans m'adresser la parole.

Quelques jours se passent. Avec l'aide de ma tante Julie, je me trouve un petit emploi à l'hôpital Saint-Charles-Borromée. Le Père directeur me reçoit et m'apprend qu'il est un grand ami de ma tante. Tant mieux pour moi. Je me trouve une chambre tout près de mon travail; elle sera payée par le Père chaque semaine et j'aurai mes repas gratuitement. Je fais manger des malades qui ont toutes les misères du monde à ouvrir la bouche. L'un d'eux a un creux profond dans le front. Je vois aussi des jeunes hommes infirmes pour la vie.

Ça me réconforte. Je reprends goût à la vie. Que ferais-je cloué sur un lit d'hôpital vingt-quatre heures sur vingt-quatre?

Nous sommes en juillet, je laisse tout derrière moi, mon emploi, ma tante, mon logis et je pars pour la récolte du tabac. On m'a dit que ça payait cinquante dollars par jour. C'est énorme, jamais je n'ai touché autant d'argent pour une journée de travail. En plus on est logé et nourri. Je déborde d'enthousiasme et me lance dans la grande aventure. Je n'ai pas de valise, seulement un sac à poignée qui contient quelques paires de bas, des sous-vêtements et des chemises. Je monte sur le pouce, je n'ai jamais fait un si beau tour d'auto. Mais c'est bien loin Ontario! Impossible de s'y rendre en une journée. J'arrive à Hamilton. Ce soir, je coucherai dans un parc public, sur un banc. Je ne demanderai pas d'aide à la police car j'ai trop peur qu'on me garde.

Le lendemain, je rencontre un employeur à Delhi. Tout était vrai! Cinquante dollars par jour, logé, nourri. Mais bon dieu, son champ n'a plus de fin, lui! Il m'engage comme *topper*. Le travail consiste à casser les premières feuilles du bas de chaque plant. Ou je me traîne à genoux dans mon rang toute la journée, ou je travaille courbé, plié en deux sous un soleil de plomb. Lorsque j'ai les bras remplis de feuilles, l'homme à qui l'on a donné la fonction de *boat driver* passe dans la rangée et je les dépose dans un espèce de traîneau qui ressemble à un bateau. Et on recommence.

Le *boat driver*, c'est un travail que tous s'arrachent ici. C'est le plus facile et le plus beau. T'es assis sur ton cheval, qui, lui, tire le traîneau, et tu le diriges dans chaque rangée où tu recueilles les feuilles cassées. Ça prend un bon têteux pour obtenir un job semblable.

Ça fait presque cinq jours que je fais ce travail et je n'en peux plus. Je dors très mal. Nous dormons dans le même local et je suis mal à l'aise, trop gêné pour me déshabiller. Notre chambre n'est pas propre; elle ressemble plus à un fond de garage qu'à une chambre à coucher. Pas question d'aller dormir dans la maison de l'employeur. Maudite race d'anglais.

On me donne un autre travail pour le même salaire. Je fais du *hang kill*. C'est un boulot très dangereux et gare à celui qui a le vertige. Les feuilles de tabac sont attachées ensemble et on les suspend à une latte d'environ quatre pouces de longueur. Les lattes se trouvent dans une cabane, au-dessus de poêles à gaz qui chauffent à plein rendement. Il fait chaud à mourir et l'atmosphère est terriblement humide. C'est presqu'un travail de cascadeur.

Plus tard, je serai *soccer*. Rien de bien difficile: il faut simplement casser la fleur du haut du plant. Mais c'est moins bien payé. Je commence à être tanné et je décide de tenter ma chance ailleurs.

J'arrive à Tillsonburg, où je retrouve un groupe de Montréal. Personne n'a d'argent pour se payer une chambre de motel. Il est onze heures et nous avons faim. Deux jeunes du groupe s'introduisent chez un cultivateur et en reviennent avec deux poules sous les bras et une chaudière de métal. On décide d'aller festoyer dans le parc municipal. Un des gars ébouillante les poules et on les met à cuire. Nous décidons de coucher là. La nuit est froide; nous sommes gelés, alors on fait brûler une grosse table à pique-nique pour se réchauffer.

J'ai le goût de repartir, j'en ai marre de ce travail. Mais avant, j'ai envie de faire un très mauvais coup. Un vol, bien sûr. J'y ai pris goût. Je trouve ça fascinant. Mais cette fois je vais m'organiser sérieusement. Je ne toucherai pas aux vingt dollars que j'ai en poche, comme ça si je me fais pincer, je me sentirai mieux en prison car je pourrai m'acheter un petit radio et me payer la cantine pour plusieurs semaines. Je choisis un gros restaurant, j'y entre, me paie un café et passe à la salle de toilette, question de savoir comment entrer dans la place. Le châssis n'a pas de barrure mais il est protégé par de gros barreaux de fer qui sont soudés à un encadrement métallique boulonné dans le bois. Un jeu d'enfant. Il suffit que j'achète une pince ajustable.

Il est deux heures du matin, je grimpe sur un baril de vidange et je déboulonne l'encadrement, c'est niaiseux ce barricadage. Il fait noir à l'intérieur, tant mieux. Je me déplace sur les genoux en surveillant bien la vitrine. J'arrive dans la salle et je tente d'ouvrir le cash, mais rien à faire, absolument rien. J'ai beau appuyer sur tous les boutons, il refuse de s'ouvrir. Je m'assois par terre dans un coin noir, le temps de reprendre mon souffle. Marcel, t'es correct, t'as réussi à entrer, t'es entré sans te faire pincer, c'est merveilleux. Je m'en retourne à l'extérieur sans un sou, mais heureux d'avoir réussi à pénétrer. Il faut beaucoup plus que ça pour me décourager et, de toute façon, il y a sûrement quelque chose de mieux à quelques milles d'ici. Tiens, Saint-Thomas! Un très petit village. Eux ne doivent pas avoir les moyens de se payer un poste de police.

Je marche dans la rue principale. Il est huit heures du soir, j'entre dans le petit terminus. Je change un billet de vingt dollars afin de voir s'il y a du pognon à l'intérieur du tiroir. Je regarde attentivement comment le vendeur s'y prend pour ouvrir la caisse. Un seul bouton, et il y a de l'argent. Je fais le tour des comptoirs. Je remarque un lit à l'arrière. Ça ne me plaît pas du tout, mais peut-être que mon homme ne couche pas ici. On verra bien. À dix heures, le bonhomme ferme la boutique et s'en va.

Le meilleur endroit pour entrer par effraction se trouve sur le côté, il y a un châssis mal gardé par un simple moustiquaire. Je passe dans la ruelle à la recherche d'un baril de vidange que je retournerai pour monter dessus. Y a un maudit chien qui aboie continuellement. Est-ce que tu crois qu'il aboie à la lune, ce salaud?

Deux heures du matin. Tout dort dans le village, excepté Marcel. À l'action maintenant. Encore un jeu d'enfant. J'ouvre la caisse, je prends les billets et les vingt-cinq cennes, et je laisse la petite monnaie. Personne ne peut me voir de l'extérieur. Je me suis recroquevillé dans un coin et je fais le compte: deux cent cinquante dollars! C'est parfait, j'ai fait un travail parfait. Je suis extrêmement fier de moi.

À sept heures du matin, je commence à faire du pouce. Je vais tenter un autre coup ailleurs. J'aime trop ça pour arrêter et je suis très ambitieux. Je prends la destination de Tillsonburg cette fois. Marcel tu vas dormir toute la journée et quand tu vas te lever vers six heures du soir, tu seras tout reposé et tu te mettras à la recherche d'une autre affaire. Tillsonburg est une plus grosse ville. Il faudra être très vigilant. Au fond, cela fait mon affaire, je me dis qu'il y aura encore plus d'argent dans la prochaine caisse.

Me voici donc frais et dispos, en pleine forme, et pas cassé du tout. Je fais ma ronde. J'ai un faible pour les restaurants. En voici un tout à fait à mon goût. Il n'y a pas de châssis dans la salle de toilette, mais j'en aperçois un au haut de l'escalier; il n'est pas protégé, sauf par un léger moustiquaire. Quelqu'un habite au dessus, mais ce n'est pas grave, je n'aurai qu'à éviter le bruit. En attendant mon entrée en scène, je m'offre un lunch délicieux, me plaçant là où il faut pour observer comment on ouvre le cash. Je me paye la grosse vie.

Il est trois heures du matin, la ville dort. Je fais le guet pendant au moins une demi-heure encore pour m'assurer qu'aucune lumière n'est allumée au-dessus du restaurant. Le propriétaire habite à l'étage. Faites de beaux rêves, mes enfants!

Je monte l'escalier tranquillement. Le châssis est ouvert. J'enlève comme un rien le léger moustiquaire et je pénètre dans la place. Encore une fois, je prends la monnaie de papier et les vingt-cinq sous. Deux cent dollars! Je suis riche.

Après un arrêt à Stratfordville où je ne récolte rien parce que les maudites caisses enregistreuses refusent de s'ouvrir, je reprends la route vers Simcoe. Là, j'ai juste le goût de me tenir tranquille. Il ne faut pas jouer à ce petit jeu trop souvent. Je flâne. Je vais au poste de police, par curiosité; on ne me répond pas tout de suite, ce qui me permet de voir ce qu'il y a d'affiché sur le mur. Ça doit être grave de se faire pincer ici! On a mis en évidence, en gros plan, le visage de tous ceux qui sont recherchés par le corps policier. Je réalise que la photo des criminels les plus recherchés a été faite par un expert. Tout cela me fait une peur terrible et je fuis très rapidement cet endroit. En route pour Hamilton, mais cette fois en autobus. Je dépense le peu d'argent qui me reste. Je n'ai plus un sou pour me payer une chambre de motel. Il va falloir que je passe la nuit dans un wagon du C.P. Je me ramasse de la paille sur la voie ferrée et je me fais un lit. Ça me pique partout. J'ai une peur bleue que quelqu'un ne passe et ne referme sur moi la grosse porte du wagon et qu'ensuite une locomotive ne m'entraîne loin d'ici. Mais je n'ai pas le choix. Advienne que pourra! Vaut mieux oublier tout ça et dormir.

Le lendemain matin, je me paie un petit déjeuner au restaurant. Je lave mes bas dans la salle de toilette et je les remets mouillés. Ça me rappelle le lavage des bas à la maison. Je revois tout le rituel: la planche à laver, le *boiler*, le savon *Barsalou* et la lumière sombre de la cave. J'avale une rôtie, mais elle passe serrée dans ma gorge. J'ai envie de pleurer, mais pas question ici. Je ne veux pas d'attroupements autour de moi. J'ai passé une rude nuit, c'est sans doute pour ça que je suis déprimé. Je suis triste et ça me fend l'âme. Je pense à mon père que j'aime tant et à qui je suis incapable de prouver mon amour.

Je le revois avec son manteau trois-quarts, sa calotte noire, et son coffre à outils. Ça me fait lever le coeur rien que d'y penser. Moi, je ne gagnerai jamais ma vie de cette façon. Quelles souffrances morales et physiques il s'est imposées! J'ai de la peine de ne pouvoir être près de lui. Un jour nous vivrons sûrement quelque chose de meilleur. Je revois toute ma famille: mon grand frère qui arpente sa chambre à coucher et l'étroit passage en récitant son chapelet à voix basse. Pourquoi prie-t-il si ardemment? Pourquoi la prière prend-elle autant de place dans sa vie? Pourquoi s'adresse-t-il à Dieu et refuse-t-il de s'adresser à moi? Pauvre nigaud de grand frère. Tu as fait le séminaire, tu cours la cathédrale, tu pries c'est vrai, mais tu n'as pas appris le plus grand commandement de Dieu, qui nous ordonne d'aimer notre prochain comme nous-même.

Tu n'es pas un frère, mon vieux. Tu ne m'as jamais rien donné. Dieu est bon, il aurait compris que tu lui refuses une dizaine de chapelets de temps à autre pour pouvoir d'occuper un peu de moi. Je te l'aurais rendu, je t'aurais sauté au cou et je t'aurais serré très fort contre moi pour te dire combien je t'aimais. Je souffre à mourir de n'avoir rien à partager avec toi et ma famille. Je pense à ma grande soeur, mon bourreau, sa présence ne me manque pas. Elle m'a trop fait souffrir par ses insultes et ses calomnies. Je pense aussi à mes deux petites soeurs Lorraine et Louise. Mes deux amours de petites soeurs. Innocentes victimes d'une immonde machination. Un jour, on se retrouvera, si Dieu me prête vie. Je souffre d'une façon indescriptible de la solitude. C'est insupportable. Au diable, famille! Il faut que je me reprenne, que je cesse de croire en toi. Marcel, tu n'as pas à t'accrocher à tes frères et tes soeurs et à les aimer. Non, cent fois non, tu n'as rien en commun avec eux à part ton nom. Tu n'as pas à aimer ton frère parce que c'est ton frère ou ta soeur parce que c'est ta soeur. Ce serait trop stupide. Quelle foutaise. Allons Marcel, va de l'avant et oublie tout. Chaque jour, tu feras de cette réflexion ta prière et tu verras, ça va aller. Les jours où ça te fera mal en dedans de ton ventre de te sentir repoussé, tu te diras qu'il vaut mieux que ce soit ainsi.

J'ai oublié que j'avais une tasse de café devant moi. Il est froid, je suppose que ça fait un moment que mon esprit voyage mais il faut te secouer, Marcel. Allons, en route, tes bas sont presque secs.

À Montréal, je retourne voir ma tante Julie. Même si je ne sens pas très bon et que je ne suis pas très propre, elle m'accepte chez elle sans maugréer. Ça me fait chaud au coeur. Mon oncle n'aime pas trop ma visite dans l'état où je suis et je le comprends un peu.

Le lendemain, lorsqu'il revient du travail, il est stupéfait de me voir là. "Comment, t'es encore ici toi, sacrament. Va-t-en, maudit!

— Non, lui dit ma tante, il va rester ici encore un peu. Le temps de trouver un emploi."

Quelques jours plus tard, elle me donne quelques dollars et je loue une petite chambre dans un sous-sol. Il va falloir que je m'y mette sérieusement. J'ai été chanceux avec mes vols en Ontario et il n'y a pas de raison que ça soit différent ici. Alors je me mets à réfléchir. Il faut que je trouve un moyen rapide pour mieux réussir dans la carrière que j'ai entreprise. Il n'y a plus personne qui dort les châssis ouverts, c'est trop froid, et tous les châssis doubles sont posés. Je pourrai donc faire du bruit sans risquer d'être entendu de l'intérieur. Voilà mon plan: je ferai sauter la vitre de porte d'un solide coup de talon, en m'abstenant de m'attaquer aux endroits où il y a un signal d'alarme, bien entendu. Ensuite, je m'éloignerai, l'air de rien, pour un bon quart d'heure. Puis je reviendrai, toujours l'air de rien, voir ce qui se passe. Si tout est calme, si mon coup de talon est passé inaperçu, alors je passerai aux choses sérieuses. Bon Dieu, que je suis heureux de mon idée! J'en ai l'eau à la bouche. Mais pourquoi d'autres voleurs n'ont-ils jamais pensé à ce petit truc? Aucune empreinte, absolument aucune. Je fuis le lieu du crime et je reviens environ quinze minutes plus tard. Quelle idée géniale!

Reste à régler la question de la vente de mes produits. Je vais voir Yves, mon locateur. Je lui parle de l'affaire en lui laissant supposer qu'il y a quelqu'un que je connais qui aurait très souvent des stocks de cigarettes à vendre. Il embarque sans hésiter. Il s'en fout que les cartons soient numérotés car il a un gros débit à son épicerie. On s'entend sur le prix. Je lui demande deux dollars et demi du carton, payé en argent comptant et pas de reçu. Je rencontre aussi le propriétaire d'un petit restaurant. Il s'appelle Noël. J'apprends qu'il est aussi gérant d'un magasin. Je lui demande s'il serait acheteur de cigarettes et autres produits. "Oui, me dit-il, mais ça dépend des quantités. Ici ce n'est qu'un restaurant. Je n'ai pas un gros débit.

— Pas grave, lui dis-je. Tu paieras en versements et si je me fais pincer, jamais je ne parlerai. C'est juré, promis."

On conclut le marché sur l'air de *C'était la dernière valse* de Ginette Reno. On est certain que personne ne nous a entendu, nos voix étant couvertes par celle de cette chanteuse renommée. Je sors tout heureux, j'ai deux bons refileurs.

Mais il reste encore un problème à résoudre, celui du transport de la marchandise. Je n'ai pas d'auto. Il faudra que je me serve de taxis. Je sais qu'à Montréal ils sont très discrets. Et puis, au diable le risque! J'ai décidé de jouer le jeu et j'irai jusqu'au bout.

Le soir je fais ma ronde rue Saint-Jean. Le temps est sombre et pesant, la rue mal éclairée. Il y a beaucoup de petits magasins; très peu d'entre eux sont munis de système d'alarme mais quelques portes sont barricadées. Je m'approche d'une épicerie, et je regarde s'il me sera possible de débarrer facilement de l'extérieur lorsque la vitre sera cassée. C'est une précaution je devrai prendre au cas où ça irait mal. Je vois très bien, par le carreau de côté, que la porte d'entrée se verrouille de l'intérieur et de l'extérieur avec une clef. Il faudrait que je dévisse les quatre vis qui retiennent la grosse barrure. Ensuite, je la laisserai pendre au cadrage de la porte. Non, c'est trop long d'enlever les vis. C'est trop risqué. Et c'est encore plus difficile de travailler sur une maudite vis à tête plate. Une vis à tête *philips* ou "tête carrée" aurait mieux fait mon affaire. J'essaie aussi de voir où se trouve le commutateur des lumières intérieures pour pouvoir les fermer et travailler plus à l'aise.

Demain soir, je passerai à l'action. Cet épicier sera ma victime. Allons dormir. Je brûle d'anxiété. Quand je me lève le matin, il neige. Je suis un peu déçu, mais assez de zigonnage. Je me rends, vers deux heures du matin, à l'endroit de mes rêves. Je m'aperçois très vite que je me suis fait jouer un sale tour par la température. Tout est blanc autour de moi, alors qu'hier c'était sombre. Je pense voir très loin en arrière et en avant de moi. On se croirait en plein jour!

Il me faut attendre trois autres nuits avant de pouvoir opérer, la neige ayant fondu. J'arrive sur les lieux, casse la vitre et cours me cacher plus loin. Personne ne semble avoir entendu. Je reviens sur les lieux du crime après quinze minutes. Je m'empare de quarante cartons de cigarettes que je refilerai à Yves. Je fous le matériel volé dans deux gros sacs doubles de vidanges et hèle un taxi. C'est la gloire!

Le lendemain, Yves me paie cash et je vais fêter à Blue Bonnets en compagnie de son frère. Je n'ai jamais vu un endroit aussi immense que cette piste de courses. On se croirait en plein jour et ça bourdonne d'activité. L'atmosphère me plaît terriblement. C'est ma première visite à un champ de courses. Voilà la parade des chevaux avant le départ officiel. Jeannot me demande qui, d'après mois, fera la course. "Regarde bien et nomme-moi le numéro gagnant, me dit-il.

— Correct. Tiens, celui-là, je trouve qu'il a une allure de champion."

Il a l'air effronté ce cheval, il amble la tête très haute. Je n'y connais rien mais je crois que celui-là fera la course. convaincus, Jeannot et moi allons acheter un billet à cinq dollars et on le prend *Win*. Incroyable! Mon cheval fait la course! Nous avons misé sur un gagnant. Jeannot est tout fier de m'avoir avec lui. Grâce à mon flair, je me suis fait un bon chum et tous les soirs il m'embarque avec lui. J'apprends mon programme de course presque par coeur. Je joue *Win, Place* ou *Show*. Que je gagne ou que je perde, je m'en fous, je joue.

De retour à la maison, je m'embarque avec Jeannot et un ami et on finit la soirée à jouer aux cartes. Tantôt on joue au *Bluff*, au *Stud*, au *Black Jack*, au *Jack Pot*, ou *King & Low*; c'est la fête, on arrête de jouer lorsqu'on s'aperçoit qu'il fait clair à l'extérieur. Pauvre Jeannot, une autre nuit blanche pour lui, trop passionné par les cartes. Moi je m'en fous, je ne travaille pas. Je trouve le temps un peu long le jour. Parfois, je vais passer l'après-midi chez ma tante, pendant que mon oncle est absent. Elle me demande si je me suis trouvé un emploi. Je lui réponds que non, pas encore, ça a juste passé proche. Elle me demande où je prends mes sous pour payer ma chambre. Pauvre tante, si elle savait. Elle me dit souvent qu'elle prie très fort pour moi. Je sais qu'elle est une fervente pratiquante et j'espère qu'elle priera pour m'éviter le pire, la prison. Avant de m'en retourner chez moi, elle m'offre d'aller à la messe de quatre heures avec elle. Pas question, je ne suis pas fou pour aller dans cet endroit. Elle pouffe de rire à m'entendre et me prépare un petit lunch qu'elle met dans un sac.

* * *

Les fêtes approchent et les stocks se font plus volumineux. Noël me demande si j'aurais une passe pour avoir des films cochons. "Non, lui dis-je.

— Regarde le type qui est assis là-bas, il serait sûrement acheteur. Je le connais. Tu peux aller jaser avec lui, c'est un gars correct. Il a une cour de ferraille juste à côté. Il s'appelle Jean-Pierre."

Le gars me demande carrément ce que je fais. "Rien, je fais la gaffe.

— Quel stock tu as?

— Des cigarettes, des cigares et autres articles divers.

— Surveille-toi, me dit-il, mon frère est en dedans pour vingt ans à cause d'une grosse affaire, et mon autre frère s'est fait descendre à la taverne pas très loin, au Wellington. Tu connais?

— Non, je ne fréquente pas les tavernes.

— Ce sont des histoires tristes et malheureuses. Vaudrait mieux te trouver du travail et tout lâcher.

— Non, pas question. C'est payant le crime et c'est du vite gagné.

— T'es jeune pour jouer à ce petit jeu. Vaudrait mieux y penser avant qu'y soit trop tard."

Je lui parle un peu de mon enfance, de mes larcins et ça le fait rire. Je le regarde, il a l'air triste tout d'un coup, il parle très peu et ce que j'admire en lui, c'est son calme. Tout va lentement en lui. Je devine qu'il est un bon père et même un excellent père de famille, malgré son goût pour la pornographie. Il m'invite à voir son commerce. Tout est à l'envers. C'est vraiment un marchand de ferraille mon Jean-Pierre. On dirait que je m'accroche. Je commence déjà à l'aimer. On dirait qu'il m'aime lui aussi. Une amitié profonde va sûrement naître entre nous deux. À l'arrière de la boutique, il y a une grosse truie qui fonctionne à l'huile. J'en ai jamais vu de pareille. Il me présente son copain, un Belge. Lui, il fabrique des montures de chaises en série pour une compagnie. Jean-Pierre insiste pour que celui-ci m'engage à temps partiel. Marché conclu! Lorsque j'aurai besoin d'argent, je pourrai travailler ici.

Je retourne chez moi. Ce soir, je ne sortirai pas. Je veux rester seul dans ma chambre toute la fin de soirée. Pas de courses aujourd'hui. Étendu sur mon lit, je pleure à chaudes larmes. Je n'y comprends rien. Je rencontre un homme dans la quarantaine qui est marié et père de deux enfants et cet homme me parle avec une douceur incroyable. Ça me fait très mal. Pourquoi lui et pourquoi pas mon père? Pourquoi un pur étranger? Marcel, t'as pourtant promis de tout laisser derrière toi, t'as promis d'oublier et d'aller de l'avant. Ça me fait trop mal, c'est impossible, absolument impossible d'oublier que je n'ai même pas eu droit à l'essentiel. Pourquoi cet homme veut-il mon bonheur? Pourquoi ne suis-je pas son fils? Si tu savais, mon vieux Jean-Pierre, combien j'aimerais t'appeler "papa", si tu savais. Mais je vais te prouver que je peux être un homme. Je te le prouverai, tu fumeras longtemps sans que ça te coûte un sou et pas question de lâcher cette manie de voler. J'aime trop ça, on dirait que ça me coule dans les veines, j'ai absolument besoin de voler, c'est un besoin vital. C'est devenu comme une drogue pour moi. Et si un soir je ne vole rien je ferai au moins sauter une vitrine.

Je passe la journée suivante avec mon Jean-Pierre, devenu mon fidèle ami. Je travaille à n'importe quoi. Le soir, on baisse les toiles de l'office. Le spectacle va commencer. Mon ami a réussi à se procurer quelques films pornos. C'est du jamais vu pour moi. J'ai presque joui en les regardant.

Le soir, je repars à l'aventure, muni d'une petite barre à clous. J'ai repéré un endroit où il sera très facile d'entrer. Je me suis procuré une grosse suce à égout dont j'ai coupé le manche. Tout se passe merveilleusement bien. J'enlève le petit cadrage de bois et je colle le syphon sur la grande vitre. Puis, selon mon habitude, je m'éloigne des lieux, histoire de me protéger au cas ou quelqu'un m'aurait aperçu. Il y a une grosse chevrolet Impala 1967 dans la rue. Je distingue très facilement le conducteur. Il est vêtu comme une carte de mode. On dirait qu'il me veut quelque chose, il me suit et s'arrête à ma hauteur. "Si tu veux embarquer avec moi, on va avoir du plaisir ensemble, je te le promets, me dit-il.

— Va chier, maudite tapette de Paulette, maudit rongeur malheureux", lui dis-je.

Avant qu'il ait le temps de relever la vitre de la portière, je lui crache dessus. J'ai du regret maintenant. J'aurais dû embarquer avec lui pour l'assommer et le voler.

Je pénètre dans l'épicerie par le trou que j'ai fait. L'ouverture est un peu étroite. Je ressors par la grande porte avec deux gros sacs de vidage remplis à pleine capacité. Je hèle un taxi et en route pour la maison. J'ai de quoi payer ma chambre pour un bon bout de temps et je vais pouvoir m'offrir quelques visites à Blue Bonnets.

Les chevaux m'épatent de plus en plus. Les courses sont devenues ma passion. J'y laisse, comme tant d'autres, une petite fortune.

* * *

C'est Noël. Je décide d'aller à Sherbrooke pour essayer de voir ma famille. Je passe la nuit dans une chambre d'hôtel. Pas question d'aller demander refuge chez moi, je sais très bien que je serai refusé. J'arrive à la maison comme un cheveu sur la soupe. Mon grand frère Joseph m'ouvre la

137

porte. Nous échangeons quelques paroles. J'ai de la difficulté à m'exprimer tellement je tremble. Je lui tends la main, il me donne la sienne, mais ensuite, sans se cacher, il s'essuie sur la cuisse de son pantalon. Je suis profondément humilié, mais je laisse faire. Je passe au salon, mon père est là, il se berce. Mes frères et soeurs sont stupéfaits de ma visite; ils quittent la place, me laissant seul avec mon père. Je regarde avidement partout: le petit coin où je devais étudier le soir face au mur, le Sacré-Coeur dans sa niche, les planchers qui brillent, le passage, les portes des chambres...

Janvier se passe. Un soir, en remontant la rue du Fort vers le nord, je remarque un gros supermarché. C'est là que je passerai à l'action la nuit prochaine. Il fait très froid. Le temps est sec, la neige craque sous les pieds. Si je fais du bruit, je risque d'être entendu de loin, je le sais. L'écho se fait fort. Tant pis, je prends le risque, d'autant plus qu'il n'y a pas de système d'alarme, j'en suis certain. J'y vais d'un solide coup de talon. Ça fait un bruit d'enfer, presque toute la vitre descend. Je fous le camp et reviens dix minutes plus tard. La police est sur les lieux. Imbécile que je suis!: au lieu de m'en aller comme je le fais habituellement, je tourne les talons, me rend sur les lieux du crime et là, je reste figé dur comme fer devant la porte fracassée. Un constable me pousse pour mieux voir à l'intérieur. Il dit à son confrère que personne n'est entré. Je suis le seul badaud sur les lieux, car il se fait très tard. Un policier m'observe et m'ordonne d'enlever mes claques. "Non, mais t'es fou, pourquoi?
— Enlève tes claques." Je suis vendu. On vient d'apercevoir à la lumière des lampes qu'il y a des parcelles de vitre dedans. "Ça y est, on l'embarque, c'est lui." On me passe les menottes. En route pour le poste, on me questionne, le policier qui est assis à l'avant tente de me faire avouer, il m'administre une solide claque sur la gueule. Je lui crache aussi vite au visage. J'ai vite réalisé mon erreur, qu'est-ce que j'ai mangé une fois arrivé au poste! On aurait dit une bande de chiens enragés. Ensuite, on entreprend la fouille de mes vêtements.

Les salopards, ils trouvent dans les *turn-up* de mes pantalons une multitude de parcelles de vitres qu'ils remisent dans une enveloppe. On tente de me faire signer une déclaration au bureau du détective. Jamais. Jamais je ne cracherai le morceau. C'est à coups de pieds au cul que j'entre en cellule, sans cigarettes; les salopards viendront me fumer au nez.

Au procès, le juge demande que je dépose une caution de neuf cent cinquante dollars. Inutile de dire que je ne possède pas cette somme. Donc, en route pour Bordeaux. J'embarque avec d'autres prévenus dans la grosse "Bertha", l'autobus de la prison. Chemin faisant, je révise toute cette histoire. J'ai une peur bleue que l'on fasse une expertise afin de savoir si les morceaux retrouvés dans mes claques appartiennent à la même vitre. On me met dans l'aile des prévenus, là où on a le droit de porter son linge de rue. Je suis bien habillé et même parfaitement. C'est ma tante Julie qui s'est occupée de moi. En attendant mon jugement, je ferme ma gueule et j'attends. C'est très difficile de faire son temps ici. Nous sommes tous nerveux et anxieux. Personne ne sait quand il va sortir. Au moindre bruit ou changement d'horaire, on sent, de la part de chacun, une nervosité profonde. Je ne voudrais jamais accomplir ma sentence dans cette aile, nom de Dieu. Y aurait de quoi devenir fou à entendre les histoires qu'on raconte. Lui, il est malheureux parce que son avocat lui apporte une mauvaise nouvelle, l'autre, parce qu'il n'a pas eu de visite cette semaine et parce qu'il a été refusé à caution. Y a ceux qui crient à tout le monde: "Moi, j'ai Irénée Chouinard comme avocat", et les autres qui se glorifient d'avoir Lionel Seguin. Dans ma tête, je me dis: "Faites-vous-en pas, les amis, bientôt vous paierez la note. Eux, ils ne se déplacent pas pour des pinottes en écailles." Y a ceux qui prient le ciel pour que leur cause soit entendue par le juge Charbonneau. Bien sûr, j'en souhaite autant. Je sais très bien qu'on l'appelle le "juge gâteau". Puis, il y a celui qui a une peur bleue que son partenaire crache le morceau sous le coup de la pression exercée par la police. Tous les criminels connaissent la rengaine. Celui qui se fait pincer avec son partenaire dans une affaire de hold-up est mis à part. Pas question que les deux comparses entrent en communication. Un jour, on le sort de sa cellule pour le faire passer au *line-up*. C'est un endroit très éclairé qui ressemble à un corridor, où on te place dos au mur en compagnie d'autres prévenus. Derrière le mur en face, il y a une vitre teintée où sont postés ceux ou celles qui pourraient identifier le suspect, sans être vus bien sûr. Puis vient l'interrogatoire de la police. "Écoute, ton chum a craqué, il nous a tout dit sur l'affaire, on sait toute la vérité maintenant. Il ne te reste toi aussi qu'à te mettre à table. On dira au juge que t'as collaboré avec la police et ta sentence sera beaucoup moins élevée." C'est un truc vieux comme la terre mais qui fonctionne parfois parce que plusieurs mouchardent encore. Parmi eux, il y en a même qui montrent aux enquêteurs où sont cachés l'arme du crime et l'argent du hold-up. À entendre ces conversations, je suis très heureux de "travailler" seul. Personne ne me mouchardera.

En avril 1968, je comparais devant mon juge. Je me défends seul. Les constables bafouillent. Ils n'ont aucune preuve contre moi. "Avez-vous effectué une expertise des parcelles de vitres retrouvées sur le prévenu?

— Non, monsieur le juge."

Pauvres imbéciles! "Accusé, le bénéfice du doute vous est accordé." Salut Bordeaux, salut les poulets. Inutile de dire que cette affaire m'a projeté en l'air. J'ai le vent dans les voiles.

Je décide de remettre ça tout de suite. Cette fois, au lieu de faire sauter une vitre et de m'éloigner d'un pas normal pour revenir un peu plus tard, je tente de pénétrer par effraction par une porte arrière donnant dans un fond de cour. Juste à cet

endroit se trouve un très gros camion qui me servira de cachette si je suis pogné pour me cacher vitement. J'attaque la porte, il n'y a pas un bruit et rien ne bouge à l'horizon. Tout à coup, j'entends un cri: "Police!" Je tente de fuir et me réfugie sous le gros camion. J'en ressors avec un revolver dans la nuque! Marcel, t'as aucune chance cette fois de gagner ta cause. T'as été pris la main dans le sac, et tes outils de cambrioleur suffiront à faire la preuve de tes mauvaises intentions. C'est vraiment pas de chance.

En me voyant arriver à la salle de rechange, un des geôliers de Bordeaux dit: "Encore toi le grand? Tu te reposes donc jamais!" Je lui réponds: "Mon vieux, si je suis trop sans-coeur pour travailler, j'ai au moins le courage d'aller voler.

— Tais-toi et déshabille-toi." Je m'exécute. Je commence à m'y faire à ces séances de déshabillage: "Penche-toi, mets tes deux mains sur tes rotules, écarte tes jambes et tousse fort."

Je passerai donc l'été en prison. Cette fois, je vais demander à l'officier de placement de me procurer un emploi à la cuisine ou à la boulangerie. Ces deux postes sont très en demande. On me répond que l'on confie ces travaux à ceux qui purgent les plus grosses sentences, mais quelques semaines plus tard, suite à la libération conditionnelle d'un "boulanger", j'obtiens le travail. J'ai l'air d'un vrai boulanger, je suis tout habillé de blanc à l'exception de mes grosses bottines noires. Nom du ciel, que ça sent bon le pain lorsqu'il sort du four! Chaque fois, j'en attaque un tout chaud et je le trempe dans du beurre pour le déguster.

Il y a des détenus qui me traitent de grand têteux pour avoir obtenu ce poste si rapidement et surtout avec ma petite sentence, mais c'est à la blague. Ils savent que je vais les gâter. Je passe plusieurs douzaines de pains dans les poubelles, bien enveloppés, et les vidangeurs sont heureux et empressés de faire la cueillette. Je me fais de nombreux amis. Je n'ai jamais besoin de faire une cantine pour me procurer du tabac ou des cigarettes toutes faites qui, disons-le en passant, sont plus qu'un luxe en prison. Un autre avantage de travailler ici: j'ai droit à la douche tous les jours et à du linge propre. Ça me fait drôle de voir mes orteils car je n'enlève pas encore mes bas pour dormir.

Le soir, je marche dans ma cellule en méditant sur mon erreur, puis je me couche sur le dos et je fais tourner ma tête de gauche à droite sur mon oreiller pour m'endormir. Je remonte mon drap par-dessus mon visage pour qu'il frotte sur mon nez. C'est un petit truc que j'utilise depuis mon très jeune âge. Lorsqu'il fallait se coucher à sept heures et que le sommeil tardait à venir, je faisais ça en répétant à voix basse: "Ma-man, ma-man, ma-man..." De temps à autre, ma mère m'entendait et me disait sèchement: "Dors, toi", et hop, je m'endormais!

Un matin à six heures, alors que je suis fin prêt pour me rendre au travail, personne ne vient m'ouvrir. Le temps passe, je fais les cent pas dans ma cellule; les minutes me paraissent des heures. À huit heures, au changement de quart, un officier s'arrête à ma porte pour m'informer de ce qui se passe. Ce faisant, il retourne la carte sur laquelle mon nom est inscrit. Je sais que de l'autre côté, il y a deux grosses lettres: D.L., ce qui veut dire *dead lock*. Je suis en punition. Je saurai quelle infraction j'ai commise plus tard dans l'avant-midi. On vient me chercher. "Suis-nous, tu passes à la cour." On m'ordonne de me placer les mains derrière le dos et de me tenir droit en face du juge.

— Vous êtes accusé d'avoir sorti de la nourriture dans les poubelles pour en faire le trafic avec d'autres détenus. Plaidez-vous coupable ou non coupable?

— Non coupable."

Le juge m'explique la nature de la plainte. L'officier en charge de la boulangerie m'a vu et n'a rien trouvé de mieux que de faire un rapport. Ma sentence est double: "La perte de votre emploi et un jour de trou." Et envoye donc!

Le lendemain, lorsqu'on me sort, j'ai horriblement mal aux pieds tellement j'ai marché. Pour arriver à dormir, il a fallu que je m'épuise en arpentant la cellule.

La veille de ma sortie, j'assiste, par ma faute, à un très mauvais spectacle. Cette nuit, mon truc sur la taie d'oreiller ne fonctionne pas. Impossible de dormir, je suis trop agité. Je me lève et je fais les cent pas dans le but de me fatiguer, fumant cigarette sur cigarette. Dans quelques heures, je serai à nouveau libre, et ça me rend nerveux. Tout à coup, j'entends des bruits de pas rapides et sourds pas très loin de ma cellule. Une porte s'ouvre bruyamment, les grosses clefs font un bruit épouvantable. Puis des exclamations. On vient de trouver un pendu! J'en ai la chair de poule. Pauvre copain, j'aurais volontiers pris quelques mois de ta peine moi, avec l'hiver qui approche. Sur ce, je m'endors profondément. Y fallait ça pour me calmer!

"Vous êtes libéré, passez à la *change room*." Je retrouve mon linge et un peu de monnaie. Le type qui travaille ici, je le connais bien. Il me dit que dans deux semaines ce sera son tour d'être libéré. Il sait ce que j'ai fait à la boulangerie; à ses yeux, je ne suis pas un peureux. Il me demande, tandis que je m'habille, si je serais prêt à travailler sur le "morceau". Non jamais, c'est trop risqué, jamais je ne mettrai la vie des autres en danger, jamais je ne pointerai une arme dans la figure ou dans le ventre de quelqu'un. On m'ouvre les portes de la prison et j'arpente d'un pas rapide le boulevard Gouin. Je regarde continuellement en arrière. Je veux voir une dernière fois la grosse coupole de Bordeaux. Elle est immense. je la regarde jusqu'à ce que j'arrive au tournant de la rue.

J'appelle ma tante Julie et je l'avise de ma libération. Elle m'attend. J'ai peur de mon oncle, mais Marcel, fous-toi de lui. Vas-y! T'as pas le choix, t'as aucune place pour coucher et pas assez d'argent pour manger. Vas-y! Advienne que pourra. J'arrive et je sonne timidement à la porte. Ma tante m'ouvre, et, avec son grand sourire, me reçoit comme si j'étais son enfant.

Je me couche mais j'ai du mal à m'endormir. J'ai un projet en tête: aller à Sherbrooke et mettre le feu à la maison de mes parents. Je me procurerai un bidon rempli de gazoline que je déverserai sous la galerie avant. Je sais qu'il y a une quantité énorme de bois sous cette galerie, je ne raterai donc pas mon coup. Pas question de capituler.

Le lendemain matin je prends le petit lunch que ma tante me prépare et, sans lui laisser rien savoir des mes ambitions, je file en direction de Sherbrooke par autobus. Chemin faisant, mon esprit travaille. J'en aurai des charges sur la conscience si je me fais pincer! Mais je m'en fous totalement. S'il se trouve une race de gens pour défendre l'attitude de ma mère, de ma grande soeur et de mon grand frère, je trouverai sûrement moi aussi quelqu'un qui viendra à ma rescousse. Tiens, on fait un arrêt d'environ une demi-heure à Granby. Je débarque, marche un peu. Je regarde l'intérieur d'un magasin. Il y a plusieurs comptoirs où sont exposés plusieurs montres-bracelets, des réveille-matin, et des briquets... Je regarde la porte d'entrée et, juste au-dessus, son carreau vitré. Je surveille un peu les alentours, sans trop savoir ce qui m'intéresse tant, je rentre à nouveau et j'examine encore. Pas question d'aller à Sherbrooke, je passerai la journée ici-même et ce soir je pénétrerai par effraction dans cet édifice. Je prends tout mon temps pour visiter les lieux, constate que l'établissement n'est protégé par aucun système d'alarme. Tout va aller comme sur des roulettes.

La nuit venue, je regarde partout à la fois. Tout est calme. J'entrerai par le carreau situé juste au-dessus de la porte. Mais comment faire pour entrer par là sans casser la chaîne et sans casser la vitre? C'est absolument impossible. Je monte sur la barre horizontale que tout le monde emploie pour ouvrir la porte et, à l'aide d'un tournevis, j'ouvre le carreau. Mais il me faut monter dessus et la chaîne casse. Je tombe tête la première sur la tuile intérieure. Je suis gravement blessé et je dois prendre la poudre d'escampette. J'ai le médius de la main gauche qui saigne abondamment. Ça pisse partout dans l'entrée. Je me réfugie dans un hôtel et j'essaie tant bien que mal de panser ma blessure; un morceau de chair pend nonchalamment au bout de mon doigt. Je le replace comme je peux.

Le matin, je retourne au terminus pour prendre l'autobus pour Sherbrooke. C'est là que je suis arrêté par deux policiers. J'ai commis une erreur, celle de ne pas garder la main dans la poche. Ils ont vu mon pansement. Quand j'arrive au poste de police, le détective me dit: "Tiens, c'est toi l'homme à la catin." Je refuse d'avouer même si on tente tout pour me convaincre; je goûte à la claque sur la gueule et au coups de pied au cul, et même aux belles promesses, mais je reste muet comme une carpe. Au bout de trois jours, on me fout dehors faute de preuve. Je suis heureux, j'ai triomphé. Mais plus question d'aller à Sherbrooke. En route pour Montréal.

Je vais voir mon ami Jean-Pierre et je lui raconte tout. Il me regarde sans rien dire. Son silence en dit long. Je sais qu'il n'est pas d'accord avec ma façon de me comporter, mais c'est mon choix. Néanmoins, pour quelques temps, je travaillerai pour son associé et ami belge à fabriquer des chaises de métal.

Je laisse ma chambre que je ne suis plus capable de payer. J'en parle un soir à Jean-Pierre. Il me remet une clef et me dit: "Tu t'en vas à cette adresse et tu seras chez toi, mais lorsque j'arriverai avec ma blonde, tu devras te retirer pour nous laisser faire ce qu'on a à faire." Ça me fait terriblement mal d'apprendre qu'il fausse compagnie à sa femme. J'avais regretté de ne pas avoir un père comme lui, mais c'est fini. Je ne l'échangerai plus jamais avec mon père.

J'entre dans l'appartement. C'est pas possible! Je foule un tapis épais d'un beau rouge vif, je vois le plus beau mobilier de chambre à coucher et de cuisine que j'ai jamais pu contempler. Tout y est. J'ai de la difficulté à croire que c'est dans cet endroit que je vivrai pour un bout de temps. Je n'ai jamais connu ce luxe et je suis bien décidé à en profiter.

Avant de me mettre au lit, je me promène un peu, histoire de mieux connaître ce quartier qui est tout nouveau pour moi et dans lequel je commettrai une autre effraction très bientôt. Je fais mon choix rapidement. Une épicerie encore. Je pénètre dans la cour intérieure et je vois un châssis placé sous un escalier. C'est l'endroit idéal. Mais celui-ci est très bien protégé par deux épais grillages métalliques. Il faut que je me procure une paire de pinces coupantes, un gros tournevis et une autre petite barre, la dernière m'ayant été confisquée par la police. Il n'y a aucun danger d'être aperçu, l'escalier étant fait de fausses marches. Comme je demeure à côté, je pourrai, à mon aise, faire le transport de toute la marchandise.

Le lendemain, je me procure le matériel nécessaire. Dans le courant de l'avant-midi, je vais m'acheter une bricole à grignoter chez ma nouvelle victime, histoire de vérifier un peu les lieux. Plus l'heure approche, moins j'ai le goût de faire le coup, mais pas question d'attendre au lendemain, car ce sera jeudi et il y aura trop d'affluence sur la rue.

Il est deux heures du matin, c'est mon heure. Caché sous l'escalier, je me rends compte maintenant que j'ai un sacré boulot à abattre. À l'extérieur se trouve un grillage très épais, je tente de le couper mais c'est impossible car la broche est trop épaisse; il faudra l'arracher complètement. Mes mains tremblent terriblement, j'ai les nerfs à vif. Je réussis enfin à arracher la moitié du grillage et je prends un léger repos, accroupi sous l'escalier, histoire de refaire mes forces et de me calmer. J'ai peur d'être vendu par le bruit. À l'avenir, lorsque je ferai un coup semblable, j'attendrai très patiemment la nuit. Lorsque le trottoir est couvert de neige et qu'il fait froid, le bruit causé par le craquement de la neige sous les bottes des passants est un signal parfait. En maintenant le châssis à moitié libéré avec l'aide d'une pince monseigneur, j'ouvre le carreau aisément. Mais je ne suis pas au bout de mes peines, car j'entends une voiture qui approche lentement. Je m'accroupis dans mon coin sans faire le moindre bruit, la tête cachée entre les deux cuisses. Malgré mon essouflement, j'essaie tant bien que mal de retenir ma respiration car la fumée qui sort de ma bouche est très dense. Un véhicule s'arrête juste devant l'escalier. C'est le locataire d'en haut qui arrive en taxi. Je l'entends monter les marches; c'est sûrement un gros homme, ses pas sont très lourds. J'attends une bonne quinzaine de minutes avant de bouger. Je n'en peux plus. J'ai les jambes engourdies, les pieds et les mains gelés. J'ai beau me coller le long du châssis pour tenter de récupérer un peu de chaleur, c'est peine perdue. Il me vient à l'idée de foutre le camp, de laisser tomber. Mais pas question, je dois à tout prix vaincre; je veux retourner à Blue Bonnets, je veux conserver l'amitié de mes deux receleurs et je refuse de demeurer dans l'appartement de Jean-Pierre. Marcel, t'es pas un lâche, t'as choisi ce métier et t'iras jusqu'au bout, peu importe les risques et la température. Rappelle-toi les dures journées de chaleur passées entre les fours à pain de la prison de Bordeaux. C'était terrible cette chaleur. Rappelle-toi les journées passées en cellule en plein coeur de l'été. Saint Ciel, qu'il faisait chaud!

Mon homme doit sûrement dormir. Sans faire de bruit, je réussis à arracher le fameux grillage intérieur. Le pire est fait. Je dépose mes outils à l'extérieur et j'entre, mais l'espace est tellement étroit que je dois, pour pénétrer, enlever mon gros manteau. Je suis fier d'avoir été jusqu'au bout. Maintenant que je suis à l'intérieur, je prends tout mon temps. Plus rien ne me presse. Je me sens vraiment chez moi et maître de la situation. Il y a une énorme quantité de cartons de cigarettes disposés sur plusieurs tablettes. Ça c'est du cash en perspective! Ensuite, comme par hasard, j'ouvre la porte du congélateur et je tombe sur le tiroir-caisse. Je sais que la plupart des commerçants cachent la caisse dans des endroits de ce genre. C'est un truc vieux comme la terre. Mais où sortir, car il faudra bien sortir d'ici à un moment donné? Pas question de prendre la porte principale qui donne droit sur la rue. C'est trop risqué. Pas question de sortir par où je suis entré, c'est trop étroit et je risque de me casser les reins. Il y a une porte à ma droite. Je prends tout mon chargement et je me dirige vers elle. Tiens, ça m'a l'air d'un grand placard. Il fait très noir. Je n'y vois rien du tout. J'avance d'un pas solide, je bute sur une énorme quantité de bouteilles vides et tombe sur le côté, dans un fracas infernal. Immédiatement, un bruit de pas rapide se fait entendre au-dessus de moi. Je me relève rapidement en faisant un bruit encore plus énorme. Quelqu'un, en haut, a sûrement alerté la police. Il me faut fuir à toutes jambes. J'arrive à la porte principale. Elle est verrouillée de l'intérieur! Il me vient à l'idée de me servir d'une caisse remplie de liqueurs et de la garocher de toutes mes forces dans la grande vitrine pour ensuite prendre mes jambes à mon cou. Mais c'est trop tard, je suis fait.

La police cerne la maison. Deux autres autos arrivent, cinq policiers en sortent. Je me précipite à l'arrière près du châssis. Il y en a deux, postés là armes au poing, qui m'ordonnent de sortir. C'est avec leur "aide" que j'y arrive, les fesses sur les genoux d'un policier! "Mains derrière le dos." me crie-t-on. On m'emmène au poste de police.

Le lendemain matin, je suis appelé au bureau du détective. Ayant passé une partie de la nuit à l'extérieur et n'ayant, pour ainsi dire, pas dormi, je n'ai pas l'esprit à la discussion. Le détective en chef me questionne. Je réponds par un oui sec. "Est-ce que tu es prêt à admettre que tu as fait le coup?

— Oui.

— Si tu collabores avec la justice, t'auras une peine beaucoup moins lourde, et si tu signes cette déclaration, on ne parlera plus des dégâts de toutes sortes que t'as faits et des sacs remplis de cigarettes qui étaient cachés près de la porte." C'est bien. Je signe la déclaration.

Quand arrive le jour de la comparution, l'avocat de la poursuite relate au juge mon long dossier criminel, mes condamnations et mes délits. Il lui demande une sentence exemplaire car "dans son cas, dit-il, il a eu plusieurs chances et n'a pas su en profiter." Il demande une sentence de deux ans. C'est au tour de "mon procureur" de parler. Je n'entends rien de ce qu'il dit. Il s'en fout royalement, de toute façon! Procureur à la miette. La parole est maintenant au juge: "Monsieur, vous avez eu plusieurs chances et vous n'avez pas su en profiter. J'examine votre dossier et je vois que vous avez été condamné à plusieurs reprises pour des délits du même genre et pourtant vous êtes issu d'une bonne famille. Je vais vous envoyer apprendre un métier, je vous condamne à deux ans de pénitencier avec recommandation de vous diriger au Centre Laval."

Deux ans! J'aurais autant aimé recevoir une balle en plein front et me faire tuer que de me voir condamner au pénitencier. Jamais je n'en verrai le bout. C'est pas possible. Je n'ai plus la force de marcher tellement je suis abasourdi. Je regarde mon juge une dernière fois, il est maigrelet, il a les cheveux noirs peignés sur le côté droit. Il a l'air sérieux, gonflé d'orgueil. Il porte sous le nez quelque chose qui ressemble à un paquet de poils noirs, que j'aimerais lui arracher un par un. Je ne pense qu'à une seule chose, le suicide, et ça presse. Mais les événements se précipitent; on me bouscule, on m'appelle pour les empreintes, on me numérote et on vérifie tous mes effets personnels. Puis on me demande qui aviser en cas de décès et le reste.

Je fais mon entrée au vieux pen. Ma première préoccupation est de savoir quelle sera ma date approximative de libération. Maintenant que je suis incarcéré dans une prison fédérale, j'ai droit automatiquement à deux jours de bon temps par semaine. Je fais le compte: je sortirai au début d'avril 1970. J'ai toujours en tête de m'enlever la vie au plus tôt. On me désigne ma cellule. Il n'y a ni châssis, ni toilette, ni eau potable dans mon cagibi. J'ai droit à un pot d'eau tiède et une tasse. Comme toilette, j'ai une vieille chaudière émaillée dont le fond est recouvert de chaux. À chaque fois que je pisse dedans, ça fait une broue épaisse et ça pue terriblement. De l'intérieur de ma cellule, je vois l'étroit corridor que je devrai franchir souvent. Je suis au troisième étage. La rampe est barricadée d'une épaisse clôture en treillis, probablement pour éviter que quelqu'un ne se jette dans le vide. Tout le monde bavarde. Il y a un bourdonnement presque continuel. J'ai hâte d'aller au travail, mais on m'a sévèrement averti de ne jamais rien sortir de l'atelier parce qu'ici aussi, il y a un comité de discipline et une cour de justice.

Le soir, nous avons droit à une heure de télévision. Je me lie d'amitié avec un détenu du nom de François Schirm. Je trouve ce bonhome très sympathique; il purge un quinze ans pour une affaire de vol de dynamite. À écouter son histoire, ça a tout l'air qu'on l'a enfermé à cause de ses idées politiques. C'est un felquiste. Je lui demande comment ça se passe dans la place. Il me dit qu'ici, le mouchard est puni de la peine de mort et que je ne dois pas me faire ami avec aucun officier. Je dois faire mon temps et ne me mêler de rien. Ça va, j'ai compris, je sais que les détenus ont leur loi. J'apprendrai un peu plus tard que celui qui se fait traiter de "mangeux de marde", de "rat", de "sale" ou de "mouchard" doit à tout prix disparaître de la circulation. "Il suffit qu'il y en ait un qui ait des doutes sur toi pour que tous te haïssent."

* * *

C'est le vingt-quatre décembre. Je suis enfermé dans ma cellule. Ce soir ce sera la messe de minuit et le réveillon. Il y a un bruit d'enfer dans cette prison. Les détenus frappent avec leur tasse de métal sur les barreaux de leur cellule. Il me vient à l'idée de m'enlever la vie. Je ne peux accepter le fait que je passerai encore un Noël en prison. Je n'ai reçu aucune visite, aucune lettre depuis que je suis ici. Mais si je m'enlève la vie, qui s'occupera de mon corps? Ma tante Julie ou ma famille? J'arrache la petite boîte contenant le haut-parleur suspendu au mur. La transmission de la radio se fait par un fil de la même grosseur que celui d'un téléphone. D'un seul coup, je n'ai plus de musique, mais de toute façon, j'en ai assez des chansons de Noël niaiseuses. Je prends le fil, le tourne autour de mon cou et le serre très fort, le plus fort possible. Il me semble que je deviens très rouge, le visage me brûle, les yeux me sortent de la tête; j'ai l'impression que la mort tardera à venir. Alors, comme je n'ai pas le goût de demeurer privé d'air plus longtemps, je lâche tout et, bien malgré moi, je décide de purger ma sentence jusqu'au bout. Je rebranche le fil au petit haut-parleur en en brûlant le bout avec une allumette.

C'est étendu tout habillé sur mon lit, le haut-parleur couché sur mon oreille pour éviter d'entendre le bruit que l'on fait avec les tasses, que je passe la nuit de la Nativité. Lorsque l'officier passe pour faire sa ronde, il aperçoit le haut-parleur arraché du mur. Je n'avais pas le droit. Comme c'est dommage! Mais je ne l'ai pas fait exprès monsieur l'officier!

À la fin de janvier 1969, on m'accorde mon transfert pour le Centre fédéral de formation. C'est un autre pénitencier pour les jeunes délinquants. Je rencontre l'officier de classement et lui demande s'il est possible d'apprendre un métier pendant mon séjour. Je reçois, bien sûr, une réponse évasive. Dire que le juge m'a envoyé au pen pour y apprendre un métier! Pauvre imbécile. Il faut avoir une tête de juge pour penser que l'on peut apprendre quelque chose de ce genre en prison. Je demande mon retour au vieux pen. "Pas question, me dit-on, maintenant que tu es là, tu dois y demeurer." On verra ça, monsieur le directeur.

Ici, l'autorité mise beaucoup sur la propreté. Chaque matin, tu te places debout et au garde-à-vous devant ta cellule, pendant qu'un officier entre à l'intérieur pour faire son inspection. Le lit doit être impeccablement fait et les serviettes doivent être pendues sans un pli sur la pôle. Sinon, t'es sévèrement réprimandé et tu recommences jusqu'au bon vouloir de l'officier. Environ une heure par jour, ils nous font faire de la *drill*. J'en ai marre de claquer mes bottes sur le plancher, j'ai foutu le camp de l'armée pour qu'on me fiche la paix avec ces conneries et c'est pas ici que je recommencerai ce petit manège. Je ne suis pas soldat et je n'entends pas le devenir. Je suis un voleur qui a le courage de voler, rien de plus rien de moins.

Ma tante Julie vient me voir de temps en temps. On parle à travers une grosse vitre trouée. Elle me dit qu'elle prie beaucoup pour moi. Pauvre Julie, si elle savait comme je me fous de ses prières. J'aurais souvent le goût de l'envoyer au diable, mais je ne veux pas perdre le cinq dollars qu'elle me remet à chaque fois. Je ne me donne même plus la peine de lire ses lettres. C'est toujours la même chose. J'en ai marre de lire que la prière me sauvera et que je deviendrai un jour un homme bon. J'en ai marre de me tenir au garde-à-vous quand je m'adresse à un officier. J'en ai marre d'être obligé de garder mes grosses bottines bien attachées et toujours reluisantes. Je veux retourner au vieux pen coûte que coûte et je vais faire ce qu'il faut pour ça.

Nous sommes une cinquantaine dans une grande salle avec trois officiers. Je compte beaucoup d'amis et j'entends les faire rire un peu. Je m'assois sur une table et j'interpelle un officier. Tous me regardent, j'ai crié très fort. Je sais qu'il est fortement défendu de se lier d'amitié avec un gardien sous peine de se retrouver un bon matin à la sortie avec un couteau dans le dos. Une trentaine de détenus, intrigués, s'approchent de la table où je suis assis. Le spectacle va commencer. Le gardien me dit: "Oui monsieur, qu'y a-t-il?

— Vous savez, monsieur l'officier, il y a un emploi intéressant affiché dans le journal."

J'ai le goût d'éclater de rire, mais je me retiens. "Ça a l'air très alléchant, vous savez." Je lui explique que c'est pour travailler dans un bureau de poste à Montréal. "Quelles sont les qualifications requises? me demande-t-il.

— Je ne sais pas, monsieur l'officier.

— Quel genre de travail est-ce?

— Et bien, on demande un baveux comme vous pour coller des enveloppes." C'est l'hiralité totale dans la place. Mon gardien s'en retourne à son poste, la face toute rouge. Il va sans dire que tout le monde a trouvé la blague pas mal bonne.

À quatre heures, on entre en cellule comme à l'accoutumée.

Environ quinze minutes plus tard, sans aucun avertissement, mes gardiens ouvrent la porte. Celui que j'ai fait rougir m'interpelle. Je sais ce qui m'attend. Trois jours de trou, sans cigarettes, sans vêtements, au pain et à l'eau. mais je l'ai obtenu mon transfert au vieux pen! C'est même là que j'ai fêté mes vingt-deux ans.

Au début du printemps 1969, on m'appelle au parloir. C'est sûrement ma tante qui vient me voir. Non, je crois devenir fou, c'est mon père! Je manque d'éclater en sanglots lorsque je le vois, mais ce n'est pas un endroit pour brailler. On échange des propos très brefs. Je suis tellement bouleversé de le voir qu'il m'est impossible d'être attentif à ce qu'il me dit. C'est son frère qui est venu le conduire ici mais lui n'a pas voulu entrer. La visite de mon père est très courte. Il me dit au revoir sans ajouter: à la prochaine. Je reste figé dur sur mon banc. Je le regarde s'éloigner. C'est bien lui. C'est bien la démarche de mon père. Il a toujours son tic nerveux; il hausse un peu l'épaule gauche à chaque pas. Mon moral est à son plus bas. Pourquoi est-il venu ici, mon Dieu? C'est drôle la vie. J'ai fait des efforts inimaginables pour parvenir à effacer l'image de mon père et un jour il me réapparaît en pleine face. Il va falloir que je me livre un autre combat à moi-même pour reprendre le terrain que je viens de perdre en quelques minutes.

J'ai très souvent de profondes brûlures entre l'oesophage et l'estomac, c'est un malaise qui persiste depuis plusieurs années. J'ai réglé en prison mon problème de dents pourries et je veux tenter de régler celui-ci. On me conduit à l'hôpital Jean-Talon pour un examen. Il faut que j'avale une boisson barytée. C'est bizarre, les tests s'avèrent négatifs. D'après la médecine, je n'ai rien. J'ai beau m'expliquer, on se fout de mes doléances. J'ai beau décrire mon malaise, c'est peine perdue. On ne m'écoute même pas et une infirmière me dit que je suis venu ici pour passer le temps. Quatorze ans plus tard, j'ai encore les mêmes maux, je ressens encore les mêmes malaises qui me rendent excessivement malheureux et colérique. Mon estomac, je l'arracherais pour le donner aux chiens et je suis certain qu'ils n'en voudraient même pas.

Je fais la rencontre d'un détenu qui s'occupe de cours par correspondance. En comparaison avec les autres prisonniers, je le trouve très sympathique et très humain. C'est un des hommes parmi les plus gros et les plus vieux de la place. Tous le craignent. Il lève facilement deux cent cinquante livres à bout de bras. Je l'ai déjà vu faire, on dirait un boeuf. Je lui demande ce qu'il a fait pour être ici. "Rien qu'une banalité pour laquelle j'ai écopé d'une couple d'années seulement, mais on m'a rajouté dix ans parce que j'ai arraché l'oeil d'un officier avec ma fourchette." Je comprends maintenant pourquoi on le craint et le traite avec autant de douceur. J'ai vraiment l'air d'une épinglette à côté de lui. Je lui demande s'il est assez pesant pour m'aider à obtenir un autre emploi. Je lui dis que j'aimerais aller travailler à la psychiatrie. "D'accord, me dit-il, je vais tenter quelque chose. Tu vas remplir cette demande de transfert et ensuite tu me la remettras et je la porterai à l'officier qui est en charge.
— Merci Ti-Paul."
J'attends impatiemment la réponse à ma requête. Si j'obtiens cet emploi, j'espère de toutes mes forces que Ti-Paul ne me demandera jamais de poser des gestes de tapette. Cette histoire me tourmente un peu. Pourquoi m'a-t-il fait cette faveur? Il reviendra sûrement me demander des comptes par la suite. Je sais qu'en prison, le viol, ça existe. J'en ai vu quelques-uns se faire enculer avec du savon en barre

et j'en ai vu d'autres monter à l'infirmerie le sang au cul. J'ai vraiment peur, mais on me tuera, on m'étouffera, jamais je n'accepterai que l'on pose sur moi ces actes barbares. Je suis tellement hanté par cette peur que je me touche souvent les fesses à deux mains; ça me rappelle le temps où je posais les mêmes gestes lorsque j'étais sur le point de manger une volée.

J'ai obtenu mon emploi à cause des pressions faites par Ti-Paul Panet. Et je ne l'ai absolument jamais revu. J'aurais aimé le remercier, mais tous ceux à qui je demandais ce qu'il était devenu n'en savaient rien. J'en suis quitte pour une grosse peur et j'ai ma job. Je me plais beaucoup à la psychiatrie; il y a beaucoup de va-et-vient mais c'est moins bruyant qu'ailleurs et la place est beaucoup plus propre. Quand j'ai fini de passer la moppe, je vais jaser avec certains détenus. Le premier à qui j'adresse la parole fait vraiment pitié. Il est assis par terre devant sa cellule et il est entouré d'un paquet de photos. Il me parle de ses voyages; il a fait le tour de tous les coins chauds du globe. Il a toujours travaillé sur le *gun* paraît-il. Il a pourtant l'air très calme et pas du tout agité. Il me dit: "Fini les voyages, fini les grandes tournées, je suis ici pour la vie maintenant." Jean a à peine trente ans. Il me dit qu'il a eu sa chance mais n'a pas su en profiter. Maintenant il est condamné pour un meurtre qu'il a commis lors d'un hold-up. Après une première peine de plusieurs années, il avait obtenu une libération conditionnelle, et il s'était fait pincer, à peine sorti, lors d'un autre hold-up. Il s'était réfugié dans une maison, avait laissé sortir la femme et gardé en joue une fillette. Avant de se rendre, il avait tué un policier. C'est fini pour lui. Les médecins l'ont déclaré malade mental, ce qui lui a évité la potence, mais il sera interné jusqu'au bon vouloir du lieutenant-gouverneur. L'heure du dîner est arrivée, nous devons nous quitter car j'ai du travail qui m'attend. Je n'en reviens pas d'avoir réussi à avoir une conversation avec un meurtrier dans le calme et la douceur.

Quelques jours plus tard, un officier m'appelle et c'est urgent. "Va laver la cellule là-bas. Amène-toi une bonne brosse à plancher, t'en auras sûrement besoin." Je m'exécute. C'est incroyable ce que je vois. Le plancher de la cellule est recouvert de sang et il y en a en masse sur le côté gauche du mur. On dirait un gros morceau de tapis rouge épais. C'est mon Jean qui s'est s'enlevé la vie à l'aide d'un objet coupant qu'on a jamais retrouvé. Je dois frotter très fort pour tout enlever; le mur et le plancher sont pleins de crevasses, ce qui rend mon travail plus ardu. Je n'ai jamais revu le suicidé. Une partie de son passé, ses photos personnelles et ses photos de voyages sont passées, bien malgré moi, dans les égoûts du pen, elles étaient trop maculées de sang pour être regardables.

Quelques semaines plus tard, un nouveau malade arrive. On le place lui aussi sous surveillance étroite. C'est un jeune homme d'une trentaine d'années. J'apprends qu'il est marié et a une petite fille. Lui, il a tué trois cadres de la compagnie Durant parce qu'ils l'avaient remercié. Un jour, en passant près de sa cellule, je le vois en train de se crever un oeil, sans que j'y puisse absolument rien. Pas question d'aller rapporter à l'officier de garde, le mouchardage ne me serait jamais pardonné. J'en ai aperçu un autre, un peu plus tard, assis sur le bord de son lit, l'air tout piteux. Il avait l'oeil gauche bandé. Je lui ai demandé ce qui était arrivé et il m'a répondu sèchement: "Je me suis crevé un oeil avec un crayon à mine et bientôt je crèverai l'autre, comme ça, ils seront bien obligés de me relâcher, les pourris."

Je demande un transfert pour un autre travail. Je trouve cet endroit trop déprimant et trop lugubre. Ça sent le mort dans cette aile du pénitencier. Si je veux sortir fort d'ici et garder mon moral, il est urgent qu'on me renvoie dans une population dite normale.

Nous sommes en mai 1969. Je vais travailler avec un détenu excessivement redoutable. Tout le monde en a une peur bleue, c'est un criminel. Il est très grand et surtout très fort. Ses bras sont gros comme ma tête et malheur à celui qui osera l'attaquer, il en sera quitte pour une mort certaine. Il a tué des jeunes garçons après avoir assouvi ses bas instincts sur eux. L'affaire a fait beaucoup de bruit. Il a été libéré conditionnellement sous les pressions d'une famille très influente. Il paraît qu'il y a un évêque dans sa parenté. Mais notre homme a recommencé le même manège; il a encore tué de jeunes enfants. Alors, cette fois, il est bouclé et finira ses jours en prison. Tous ici ont un haut-le-coeur lorsqu'ils le rencontrent et plusieurs détenus m'avertissent personnellement de ne jamais lui adresser la parole. J'ai une peur bleue de travailler avec lui. Lorsqu'il me parle, j'essaie de toute mes forces de ne lui répondre que par un oui ou un non vague.

Un jour, un détenu lui a fait son affaire. Il lui a asséné un violent coup de gamelle sur le crâne en criant: "Je suis Lawrence d'Arabie!" Tué net. Personne n'a pleuré, et personne n'a rien vu, bien entendu.

Juin 1969. Je compte plusieurs amis et je tiens à les conserver. Hélas, un beau matin, tandis que je fais la file indienne en attendant mon tour de me servir du café, les choses se gâtent pour moi. Nous sommes environ cent cinquante. Ceux qui ne se sont pas servis attendent en jasant et en avançant à pas de tortue, et les autres retournent en cellule. Je bavarde avec celui qui me suit. Tout d'un coup, j'entends crier du haut d'un escalier: "Ne lui parle pas, c'est un mangeux de marde lui." Ces paroles s'adressent à celui qui me cause. Tout le monde me regarde. Ce n'est pas possible! Alors c'est mon tour! J'ai l'eau qui me coule entre les fesses. Me voici tout à coup en très mauvaises relations avec tout le monde. Tout ceux qui m'aimaient vont s'écarter de moi, comme la loi du pen l'oblige. Je fais le compte rapidement. Il me reste huit mois à purger.

Je décide de lutter avec acharnement. Je vais faire un bon coup pour tenter de retrouver l'estime générale. Je sais que cela risque de me coûter très cher. En plus de faire du trou, je perdrai sûrement du bon temps. J'ai le choix entre cette décision ou celle de finir ma sentence dans l'aile des "mangeux de marde" ou sous protection. Je choisis de faire le coup. Il y a des *buckets* remplis de chaux et de merde qui attendent d'être soulagés de leur contenu à l'extérieur des cellules. J'en saisis un et enlève le couvercle. En bas, un officier fait sa ronde. J'attends qu'il soit proche et je déverse la chaudière presqu'à ses pieds. Résultat: cinq jours au trou! Je tente par tous les moyens de savoir qui m'a sali. Un officier qui travaille au donjon, plus sympathique que les autres mais aussi plus tapette, me donne la réponse. Le nom du gars c'est Miron, un fermier maudit qui a fait un séjour à la prison de Sherbrooke pendant que j'y étais. J'ignore pourquoi il a fait ça, mais je le saurai vitement. En fin de compte, j'apprends que c'est parce que j'ai signé plusieurs déclarations contre moi-même. C'est moi seul que j'ai mouchardé, rien de plus, mais on ne pardonne rien ici. Le coup de la chaudière n'a rien arrangé. Je n'ai pas récupéré mes amis. Il va falloir que je finisse ma sentence isolé de tous contacts. Un jour, un autre salopard me traite de "mangeux de marde". Je le surveille très étroitement. Marcel, la loi t'oblige à te défendre, si t'es pas un "mangeux de marde", tu le prouveras, t'as pas le choix, c'est la loi du milieu. J'attends. Ça fait une heure et trente que je marche. Bientôt on ouvrira la porte de toutes les cellules pour que les détenus aillent voir la télévision. La cellule de mon salaud est à gauche de la mienne. Aussitôt que les portes sont ouvertes, j'y entre. J'ai le poing fermé bien dur et les bras derrière le dos. Je lui descends mon poing presque engourdi tellement je le serre et je l'attrape en plein milieu de la face. Je frappe tellement fort qu'il me semble voir ses deux pieds se soulever de terre. Tout le monde sur l'étage fuit à la hâte. Deux officiers montent rapidement. Assis sur le plancher, je tiens la tête de mon ennemi entre mes jambes et je lui plante mes deux doigts dans les narines afin de lui arracher le nez. Les officiers m'ordonnent de le lâcher. L'un d'eux m'empoigne par mon fond de culottes et me jette au fond de ma cellule. Je me pète sur le mur de brique et je suis presque assommé. Je demeure une grosse demi-heure sur le côté sans être capable de marcher. Une heure plus tard, on me descend au trou. Au passage, plusieurs détenus me baptisent de toutes sortes de noms. Je sens que ma vie est vraiment en danger ici. Je me rends compte que le détenu que j'ai frappé compte de très nombreux amis.

Il vaut mieux pour moi que j'accepte mon transfert dans un autre pen. Je me retrouve donc à l'unité spéciale de correction. C'est un pénitencier flambant neuf. C'est ici que je finirai ma sentence. L'équipement est ultra-moderne; les grandes portes clôturées de l'extérieur s'ouvrent automatiquement et sont contrôlées par un système de voyants lumineux. On a fait une énorme publicité au sujet de ce nouveau pénitencier. Apparemment, il est absolument impossible de s'évader d'ici.

À mon arrivée, je dois me déshabiller pour la fouille: jambes écartées, deux mains au mur, tousser très fort... Bande de pioches, ce truc pour faire sortir quelque chose du rectum ne vaut rien. Vous oubliez qu'en toussant très fort il est aussi possible de se contracter. Je le sais pour l'avoir déjà expérimenté à Bordeaux. Avant de descendre au trou pour un trois jours, j'ai d'ailleurs pris soin de mettre dans un petit sac de cellophane doux un peu de tabac et des allumettes en cartons et je l'ai graissé avec un restant de beurre. Un vrai jeu d'enfant.

C'est dimanche. Je constate par le judas que l'on se passe le Journal de Montréal. Je crie à travers les trous qu'on me le fasse parvenir quand il sera libre. Une heure plus tard, on me le refile. Je suis heureux. Je vais me taper au moins deux bonnes heures de lecture, je lirai absolument tout. Tiens, ça promet, je regarde un des titres. Il est écrit en grosses lettres: "Un triangle d'amoureux". Au centre, je vois une forme humaine recouverte d'un linceul blanc. Tranquillement, je dépose le journal sur mon lit et je me roule une cigarette afin d'allonger mon plaisir. J'ouvre la première page. Est-ce que je suis devenu fou, bon Dieu? C'est mon meilleur ami, c'est Jean-Pierre qui s'est fait tuer d'une balle en plein front! Comme à l'accoutumée, il était allé chercher sa maîtresse et l'attendait patiemment dans son auto, quand le jeune blanc-bec, l'autre amant, est arrivé l'arme au poing et l'a tué net. Ça me fait mal comme si je venais de perdre une partie de moi-même.

Encore un autre jour de Noël en prison. C'est le quatrième que je passe derrière les barreaux. Je commence vraiment à m'y faire. Je ne me morfondrai pas cette fois. Cette nuit de Noël ne me déchirera pas les tripes. Me sentant soulagé de cette souffrance morale, j'en profite pour méditer à fond. Bientôt, se sera le jour de l'An. Mon vieux, t'as perdu plusieurs années maintenant, t'es entâché par un long dossier criminel, t'as perdu un ami dans une guerre à deux, et sûrement une partie de ta santé. Quelle résolution vas-tu prendre maintenant? Bah! J'ai encore une semaine pour y penser. Mais sache bien que si tu décides de continuer à vivre du crime, tu risques fort d'y laisser ta peau. Je m'en fous, faut bien mourir de quelque chose et mourir sur le champ de bataille, c'est quelque chose d'historique, non? Mais la liberté, qu'est-ce que cela représente pour toi? De la foutaise. Il n'y a personne en ce monde qui est libre. Et ceux qui travaillent le sont encore moins que les autres. Ils travaillent parce qu'ils ont peur d'aller voler. Ce n'est pas la tante Julie qui me fera changer avec ses prières. Jamais. Je refuge d'être un otage de la société. Les gens travaillent pour payer des impôts et des taxes; moi, mon salaire ne sera jamais imposable. Grouillez-vous la *salvation army*, amenez-moi mon sac de candy et réservez-m'en un pour l'an prochain, au cas où. Ma décision est prise.

J'ai une grosse Cadillac Eldorado, tout en couleurs, collée sur le mur de ma cellule avec quelques touches de confiture aux fraises. La Cadillac, on dirait qu'elle est encore plus éclatante de beauté en cette nuit de Noël. Physiquement parlant, je suis ici en prison, mais mentalement, oh non! Je suis sur la route en direction de chez nous. Il me semble me voir en compagnie de ma mère avec ma grosse minoune, en train de lui dire: "Vous voyez, vous m'avez traîné dans la boue, vous m'avez volé ma jeunesse, mais regardez-moi maintenant. Un jour, je vous écraserai et je me moquerai de vos doléances." Pendant que je me fais tous ces discours, la radio se damne à diffuser la belle musique de Noël. Je n'ai strictement rien entendu. Mes mains sont moites, mes pieds et mes jambes me font souffrir. Ça doit faire au moins deux heures que je marche de long en large. J'ai fait un voyage qui ne m'a pas coûté cher, mais comme il a été fertile en émotions! Je m'assieds sur mon lit, mes jambes tremblent encore; je regarde ma Cadillac et il me semble qu'elle est moins belle, on dirait qu'elle a perdu de son éclat. Je m'entoure les jambes d'une serviette mouillée à l'eau froide pour tenter de calmer ma douleur et je me glisse sous les draps.

Étendu sur le dos, droit comme une planche, l'édredon blanc sur le bout du nez, il me vient à l'idée de faire une petite prière au Seigneur tellement je me sens heureux d'être dans ma prison ce soir. Mais laquelle? J'ai trouvé, c'est celle que je faisais lorsque j'étais très jeune; je m'en souviens très bien pour l'avoir récitée si souvent agenouillé au pieds de papa: "Mon Dieu, je vous donne mon coeur, mon corps, mon âme, prenez s'il vous plaît, afin que jamais aucune créature ne puisse me posséder que vous seul mon bon Jésus. Bonsoir mon bon ange, c'est à vous que je demande de me garder la nuit, sans péril, sans danger, sans mort subite et sans vous offenser mortellement mon Dieu." Des larmes coulent sur mes tempes, je lève ma tête et mes yeux clignent sous les reflets de la petite lumière bleue. On dirait que ma peau est transpercée tellement je suis mouillé de larmes.

Les dés sont jetés. J'ai décidé de défier le monde entier. Je continuerai à faire carrière dans le crime. Mais il faut à tout prix que la chance soit avec moi, car j'ai pris la ferme résolution de ne plus me laisser prendre vivant. Je ne me rendrai | plus jamais. Plus jamais je ne reviendrai ici. Je cimente cette décision dans mon esprit. De toute façon, je n'ai rien à perdre à mourir. Je n'ai pas de famille, personne ne m'aime, j'ai un long dossier, je suis sans métier et je suis un révolté de la pire espèce.

Le jour, je vais à la marche comme les autres, mais je parle très peu. Je me reprends le soir lorsque nous nous retrouvons à la salle de télé. Je rejoins un ami et je tente d'apprendre tout ce qu'il sait sur les effractions. "Comment fais-tu, toi, pour passer au travers d'une porte vitrée sans faire de bruit?

— C'est facile, me dit-il, tu prends un bon coupe-vitre et tu découpes un carreau dans la vitre, ensuite, tu colles un siphon sur celle-ci et tu cognes un peu aux endroits coupés avec l'autre bout de ton instrument et tu tires. C'est simple.

— L'as-tu déjà essayé, toi?

— Non, jamais, l'effraction ne me dit rien. Tu devrais travailler sur le "morceau" mon vieux, c'est plus rapide.

— Non. Jamais. Lorsqu'on vous accroche, vous y goûtez les *gunmen*.

— Ça fait partie du jeu.

— Tu peux me dire comment on fait pour ouvrir un coffre-fort facilement?

— Tu prends une grosse chaîne que tu couches par terre, ensuite tu laisses tomber le coffre-fort sur la chaîne, tu relies l'extrémité des mailles et tu places entre les portes du coffre et le noeud un *jack* à l'huile et le reste du travail se fait tout seul.

— T'as déjà fait un coup semblable toi?

— Moi, non.

— Merde, tu me racontes des histoires de *Moby Dick*.

— Pourquoi, t'as l'idée de continuer en sortant?

— Ah, sûrement! Faut bien gagner sa vie.

— Attention! me dit-il. Je connais quelques gros qui sont au vieux pen et ils le sont jusqu'à la fin de leurs jours.

— Mais pourquoi?

— Un jour tu passeras devant le juge et s'il ne voit aucune chance de réhabilitation pour toi et s'il apprend du procureur de la couronne que tu as continuellement vécu du crime, il te foutra un gros H sur la feuille bleue. Ça veut dire "Criminel d'Habitude". Alors on te gardera en prison jusqu'au bon vouloir du lieutenant-gouverneur. Là, tu sauras quand tu vas entrer mais tu ne sauras pas quand tu vas sortir.

— Bah, lui dis-je, de toute façon je n'ai pas l'intention de me laisser prendre vivant.

— Non mais t'es fou toi, tu ne vas pas donner ton âme aux chiens pour un vol! Allons donc. Si un jour tu repasses devant un juge, tu t'organises pour te faire déclarer malade mental, c'est simple et on t'enverra à Pinel pour un bout de temps. T'as jamais vu un éléphant avec des souliers de cuir verni? T'as jamais vu un gros oiseau avec une grosse carabine sous les ailes? Imagine quelle tête fera le juge lorsque tu lui diras ce que tu vois. Ensuite, regarde-moi bien."

Incroyable. Mon copain se retourne en quelque secondes les paupières et je vois apparaître sur ses yeux une peau rosée très lisse et qui lui couvre la moitié de l'oeil. J'ai un haut-le-coeur épouvantable. "Mon ami, de deux choses l'une. Ou bien tu fais de l'esprit, ou bien tu en as vraiment. Allons dormir maintenant."

La semaine passe. Je demande à la direction de m'accorder un transfert de travail et ensuite, je remplis une demande de libération conditionnelle.

Plus tard, je rencontre les commissaires. On me refuse ma libération. Faudra aller jusqu'au bout, mon ami. Tu n'as pas de travail, t'es sans métier et t'as personne chez qui demeurer. Donc, notre décision est finale. Allez au diable. Collez-vous-la au cul votre décision!

Dans quelques jours, je serai sur la route de la liberté. Cela me fait terriblement peur. Si je sors, je devrai aussi amener mon estomac. Depuis dix-sept mois, je suis nourri trois fois par jour, je n'ai jamais rien eu à demander. Maintenant, je vais devoir me débrouiller seul, et, complexé comme je suis, comment vais-je faire? Je me trouve terriblement grand, il me semble que tout le monde me verra. Comment faire pour passer inaperçu? Je pense que tous les gens auront les yeux tournés vers moi, en train de m'épier. On me lira, on me devinera sûrement, on me montrera du doigt même. Au fond de moi, je suis heureux, ma sentence est terminée, mais l'angoisse et la peur de l'inconnu se mêlent à ma joie. Je demande à un gardien s'il y a beaucoup de détenus qui réussissent à ne pas revenir ici. Il éclate de rire et me dit qu'il y en a très peu au contraire. Je comprends que je devrai lutter très fort.

Le jour de ma libération, l'institution m'a habillé des pieds à la tête. C'est vêtu d'un habit bleu marin, d'une chemise blanche et d'une cravate rayée que je passe la grande porte. On m'a remis une valise bleue en plastique et la somme de cinquante-sept dollars et quelques sous qui sont mes économies prélevées sur ma paie de chaque jour. Je passe devant un officier qui me dit: "On ne fera pas ton lit, parce qu'on sait que tu vas revenir bientôt, toi." Je lui jette un regard qui en dit long. J'ai vraiment le goût de lui cracher au visage à ce vieux pourri, mais j'ai tellement peur qu'on me garde ici plus longtemps que je continue à avancer en me disant très fort: non, jamais, jamais plus le pénitencier. Sale pourri d'officier, au moment où j'aurais eu le plus besoin d'être encouragé, tu m'as écrasé. J'ai tellement froid. J'ai les pieds et les mains gelés durs. La nervosité me traverse de part en part. Quelle tête je dois avoir! Je me sens tout blême. C'est comme si je ne réussissais pas à trouver ma place dans mes nouveaux souliers.

Il fait très beau. Le soleil brille de tous ses feux en cette belle journée d'avril. On dirait qu'il est là juste pour moi. Merci, mon Dieu, j'ai drôlement besoin, en ce moment précis, de ta lumière.

Troisième partie
Fais un homme de toi, Marcel

Tous mes effets personnels, mon linge et mon petit poste de radio étaient remisés dans des boîtes que mon ami Jean-Pierre conservait précieusement et que je devrais reprendre à ma sortie de prison. En bref, tout ce que je possède. En arrivant chez ma tante, je téléphone à un des frères de mon ami qui me répond qu'il ne sait rien de cette histoire. "De toute façon, ajoute-t-il, le garage n'existe plus."

Je suis grandement heureux de revoir ma tante Julie. Je lui raconte la difficulté que j'ai eue à embarquer dans un autobus, et, qu'une fois dedans, je suis resté le dos tourné au monde. Jamais je n'aurais osé me retourner ou aller m'asseoir. Il me semble que le mot "ex-bagnard" est écrit sur moi en lettres de feu. Je resterai longtemps victime de cette hantise: pas question de voyager dans un bus rempli de monde, et lorsque j'arrive à destination, je suis incapable de descendre si je vois que je suis seul à le faire; j'ai l'impression d'avoir les deux pieds pognés dans un iceberg. Parfois, cela me joue un mauvais tour, je dois marcher un demi-mille au moins pour avoir hésité à descendre au bon endroit. Je n'arrive pas à concevoir qu'on arrête l'autobus seulement pour moi. Pendant des années, je vais rester accroché à la fameuse barre verticale près du chauffeur. Il me semble que ma tête atteint le plafond tellement je suis grand.

J'ai dans ma poche l'adresse d'un organisme supposément extraordinaire et reconnu pour l'aide qu'il apporte aux ex-détenus. J'arrive à la porte. C'est écrit: Service d'orientation et de réhabilitation sociale. Bondance que ça fait chic! Qui a bien pu inventer ça? Ça doit être un chanoine. La préposée à la réception me répond: "Qu'est-ce qu'on peut faire pour vous?

— Je viens de sortir de prison et j'ai besoin d'aide. J'ai entendu parler de votre organisme par un officier de placement du pénitencier; c'est lui qui m'a référé ici.

— Est-ce que vous êtes sous le coup d'une libération conditionnelle?

— Non mademoiselle.

— Notre bureau aide surtout ceux qui sont en liberté surveillée et ce n'est pas votre cas. On ne peut pas vous aider financièrement, votre cas relève plutôt du Bien-être social."

Je fous le camp, sans dire merci à cette maudite chromée de réceptionniste qui, pendant la majeure partie de notre discussion, a essayé, sans y parvenir, de se faire une couette sur le côté du crâne. Ses hautes études et ses diplômes lui ont sûrement attaqué le cuir chevelu. Je me rends au bureau du Bien-être social et je raconte mon histoire au fonctionnaire qui me reçoit. "Où demeurez-vous?

— Nulle part.

— Vous devez trouver une chambre et un inspecteur passera vous voir chez vous. Nous autres, pour nos dossiers, ça nous prend une adresse.

— Les juges, monsieur, sont moins sur les principes que vous autres, ils nous condamnent même si on n'a pas d'adresse. Combien j'aurai droit par mois?

— Vous demeurez seul?

— Ben oui, j'ai pas fait d'enfants au pen, monsieur.

— C'est soixante-quinze dollars par mois pour un homme seul en bas de trente ans.

— Eh bien, monsieur, à ce prix-là, c'est plus payant d'aller voler. Fourrez-vous ça dans le cul."

De retour chez ma tante, on dirait que le temps presse. Il y a mon oncle qui ne peut plus tolérer ma présence. Il faut à tout prix que je me réconcilie avec lui. Je vais donc le trouver à son magasin de chaussures.

Quand j'arrive, je n'y vois que son commis. "On dirait que vous vendez des chaussures d'enfants ici, est-ce que je rêve?" Ti-Ben, le commis, ricane un peu. "T'es le neveu du boss?

— Oui."

Il me semble que celui-là n'apprécie pas beaucoup son patron. Peu de temps après, mon oncle arrive et me dit qu'il m'a trouvé un emploi chez un manufacturier de valises. Ça ne me dit absolument rien de travailler, mais j'y vais quand même, pour ne pas lui déplaire.

Le soir, après le boulot, je retourne chez "Mickey chaussures". Mon oncle semble heureux de voir que ça marche avec mon patron. Il commence à me faire des confidences, se plaignant amèrement de sa femme: "Lorsqu'elle n'est pas à la messe de quatre heures, elle est à la maison en compagnie d'une religieuse, d'un frère, ou d'un maudit traîneux qu'elle ramasse dans la rue. Lorsqu'elle n'est pas en compagnie d'un groupe de charismatiques, elle est enfermée quelque part dans un couvent en train de faire des bonnes oeuvres. Quand j'arrive à la maison, le frigidaire est vide et je dois me contenter de manger des os de lièvre ou un restant de carcasse de chevreuil. C'est moi qui chasse et ce sont ses chums qui bouffent tout, sacrament. Il y a quand même des limites à faire l'aumône à cette maudite gang de Biafrais!"

Quelques jours plus tard, mon oncle m'amène chez lui. "Là, tu vas voir de tes propres yeux." Plus on approche de son domicile, plus je me sens taraudé. Comment vais-je réagir? Quelle attitude vais-je adopter pour garder "l'amitié" de mon oncle et conserver l'amour de ma tante? Cette histoire me donne la chair de poule. Nous y sommes. "Tiens, elle n'est pas ici, regarde la pile de vaisselle sale, regarde la table, tiens, regarde le frigidaire, sacrament, ai-je raison de me plaindre?

— Oui, je vois, oui, oui. Vous avez raison mon oncle, c'est bien vrai. J'ai tout vu. Mais que voulez-vous, elle est comme ça ma tante. Elle a le coeur grand comme le pont Jacques-Cartier.

— Sacrament, il n'y a même pas une noix qui lui appartient. C'est facile d'avoir le coeur grand sur le compte des autres! Tiens, je vais te faire un lunch avec ce qui reste.''

Pour la première fois, je me sens très bien à la table de mon oncle; la gêne et la crainte ont disparu comme par enchantement. Il semble satisfait de m'entendre lui donner raison, ce que je fais sans trop réfléchir.

Le lendemain, nous nous retrouvons à nouveau à son domicile. Il a la mine basse, il parle très peu. Je sens que quelque chose ne tourne pas rond. Je le questionne afin de savoir où se trouve ma tante. "Je ne sais pas," me dit-il d'un ton sec. Comme par hasard le téléphone se met à sonner. "Va répondre, c'est pour toi." Tiens, c'est ma tante, elle reconnaît ma voix. On dirait que la sienne est toute tremblante. "Mais où êtes-vous, bon Dieu?

— Je suis à l'hôpital depuis hier après-midi et j'attends d'être opérée au foie." J'en ai le souffle coupé. Elle me demande, le plus poliment du monde, pourquoi j'ai parlé contre elle, pourquoi je lui ai fait du tort.

"Tu sais, ton oncle m'a tout raconté et je te demande de ne plus te mêler de rien; ça me fait de la peine que tu lui aies dit que je suis une guenilloux et une traîneuse.

— Je n'ai jamais...

— Laisse tomber Marcel, je t'aime bien malgré tout ce que tu as pu dire. Oublions tout ça. Je te donne une bise et je te dis à très bientôt."

Découragé, je quitte la manufacture, je n'ai pas le goût de faire des efforts alors que ma tante ne m'aime plus.

Je suis décidé à me venger et je rencontre mon receleur pour lui demander s'il peut me présenter un type qui serait intéressé à acheter une cargaison de bottines. "Moi, ça m'intéresse.

— Tu vas vendre des bottines?

— Non, mais j'ai une passe pour les refiler rapidement. Tu ne vas tout de même pas dévaliser la boutique à ton oncle?

— Eh oui!

— Ton oncle vient manger ici; tu crois qu'il peut avoir des doutes sur moi?

— Mais non, voyons!

— O.K., ça marche.

— Bon, j'ai besoin d'un gros camion, je viderai la place dans la nuit de samedi.

— Quand tu seras prêt, tu m'appelleras."

Le lendemain, vers les minuit, je vais vérifier si tout est normal. Je déambule lentement dans la rue et je m'imagine toute cette cargaison. Il y aura des chaussures d'enfants, de femmes, un lot de grosses bottines fourrées et quoi d'autre encore.

J'inspecte soigneusement les lieux. Tiens, le châssis est presque pourri. Dans mon énervement, je fais un faux bond et je tombe à la renverse. De peine et de misère, je réussis à sortir de mon trou. J'ai un pied qui me fait terriblement souffrir. Je tente de marcher mais c'est absolument impossible, j'ai une douleur intense qui me monte jusqu'au front. Je suis tellement en maudit et mon pied me fait si mal que je me mets à pleurer.

Le lendemain matin, j'ai le pied enflé et complètement bleu. Je me rends à l'hôpital pour passer des rayons X. Une infirmière me demande poliment d'enlever mon bas. "Comment? Mais mademoiselle, vous pouvez facilement passer un rayon X à travers de mon bas!" Le visage me brûle comme du feu. Je sens que je suis cramoisi, on dirait que j'ai le feu aux oreilles. "Allons, monsieur, enlevez votre bas." Merde, je ne veux pas lui montrer mes orteils. J'ai terriblement honte. "Non, mademoiselle, s'il faut que je vous montre mes orteils, j'aime mieux m'en aller.

— Allons, laissez-moi faire." Me voilà le pied nu devant l'infirmière. Impossible de décrire ma gêne. Cette femme m'a enlevé mon bas avec la plus grande délicatesse, c'est du jamais vu encore à vingt-trois ans. J'ai le goût de lui déverser un flot de paroles douces en plein visage. "Mademoiselle, je veux vous dire que... "Allez, venez ici, nous n'avons pas le temps de parler. Nous avons beaucoup de travail." Allongé sur le lit, je revois le visage de ma mère, c'est elle qui m'a donné ce corps. Une maudite larme glisse sur ma joue...

Plus tard, je fais mon apparition chez ma tante en béquilles. J'ai envie de lui conter tout ça. "Mais qu'est-ce qui t'arrive, toi?

— Bien, j'ai tombé hier soir sur le bord du chemin et voilà ce que ça donne. Et puis, je m'en viens vous saluer et vous demander de m'excuser pour l'autre fois. Je n'avais pas de raison de me mêler de vos affaires, surtout après tout ce que vous avez fait pour moi, c'est presque impardonnable." J'ai profondément honte, je reste sans paroles, bouleversé. Je lève les yeux pour regarder ma tante et je vois qu'elle me sourit. "Voyons, fiston, tu sais bien que je ne t'en voudrai jamais. De toute façon, cette histoire est bel et bien finie. Je sais qu'il n'y a pas une graine de méchanceté en toi." Elle se lève vivement, oubliant qu'elle vient de subir une rude opé- ration, et elle m'empoigne solidement par les épaules pour me secouer. "Allons, fiston, je vais te brasser, moi, secoue-toi et cesse de pleurer.

— Vous, si vous ne cessez pas de me secouer, ça va vous coûter un autre café, parce que celui-ci va bientôt goûter le salé."

Elle pouffe de rire. "Vous savez, je suis allé à l'hôpital et j'ai été traité aux petits oignons par une infirmière. À un moment donné, j'ai voulu fuir et elle m'a retenu. Si elle avait su que j'étais un charognard, vous croyez qu'elle m'aurait soigné?

— Fiston, c'est assez, laisse faire le passé."

Mon pied prend du mieux. Je me débarrasse de mes béquilles et je me remets à marcher normalement. Ce soir, j'ai rendez-vous avec Ti-Ben chez une fille seule qui vit au même endroit que moi. "On peut l'avoir pour une caisse de vingt-quatre.

— C'est pas cher si on peut avoir du plaisir. Mais attention, ne parle jamais de cette histoire devant ma femme, elle n'aime pas trop que je te fréquente, elle pense que tu vas m'amener courailler.

— Laisse tomber! Tu paies la bière. Moi j'ai fait ma part, j'ai trouvé la fille.

— Comment s'appelle-t-elle?

— Joëlle.

— Elle est jolie?

— Oui, elle est bien tournée, et, en plus, elle a pas froid aux yeux."

On entre chez la fille, Ti-Ben, la caisse de bière et moi. Elle s'assoit entre nous deux sur le divan. Ti-Ben défait un bouton de sa blouse et moi l'autre et ainsi de suite jusqu'à ce qu'elle soit complètement nue. Ensuite, on lui caresse les seins qui se terminent par un gros mamelon très foncé. Je suis un peu déçu. Je me rappelle Sylvie, la jeune fille qui voulait me marier à tout prix, elle avait de bien plus beaux seins. Ils étaient durs, fermes et se tenaient très droits, et ses mamelons étaient d'un rose pur. Mais Sylvie était une jeune donzelle de dix-huit ans, tandis que Joëlle en a au moins trente-cinq. Ti-Ben la fait lever et lui dit de s'asseoir sur son bras droit. Il a un truc que je connais pas. Je vois Joëlle qui réagit si violemment à ce qu'il lui fait qu'elle manque me donner un coup de genou en plein visage. Mais ce n'est pas l'heure des excuses. Mon Ti-Ben, il a le doigt sur le bobo et il ne lâche pas prise. Un peu plus tard, j'entreprends de faire l'amour à la fille pendant que Ti-Ben attend à l'extérieur. Joëlle s'agenouille sur le grand fauteuil pendant que moi je la pénètre; elle a la face presque collée au mur. Tout à coup, alors que je lève les yeux pour regarder en avant, je reste suffoqué par ce que j'aperçois. Je vois grimper sur le mur, près de la tête de la fille, une énorme coquerelle! Du coup, je ne me sens plus du tout romantique. "Ti-Ben, on crisse notre camp!

— Mais qu'est-ce qui se passe?

— Salut, Joëlle, nous on n'aime pas cohabiter avec des coquerelles."

Je me précipite dans le passage, les culottes à terre, tandis que Ti-Ben, plié en deux, se meurt de rire.

J'habite une petite chambre rue Stevenson. Ici, j'ai tout ce qu'il faut pour être heureux et même plus. En tout cas, il n'y a pas de coquerelles, j'en suis sûr. Je dispose d'un beau petit poêle à deux ronds dont la peinture est un peu ternie sur le devant et d'un petit frigidaire. J'ai un divan rouge et un balcon. Je partage la salle de toilette avec cinq autres chambreurs. La peinture est un peu défraîchie, mais je m'en fous. Je me sens bien ici. Malheureusement, il faudra payer chaque semaine et je n'ai presque plus d'argent. J'ai déjà volé un "Monsieur Patate" mais je me suis fait pincer. Ça ne me décourage pas; il y en a d'autres qui font partie de la même chaîne et je veux tous me les taper.

J'arrête mon choix sur le prochain. Je vais prendre un café, histoire de vérifier la meilleure façon d'entrer. Bande de nonos de restaurateurs, vous croyez m'intimider avec vos grosses portes épaisses et vos gros madriers, mais vous verrez cette nuit à qui vous avez affaire! Tout ce dont j'ai besoin comme outillement est un vilebrequin avec une mèche extensible, ensuite, un petit bout de bois muni d'un seul clou et une lame de scie à métaux.

À trois heures du matin, je me mets au travail, et quinze minutes plus tard, je pénètre dans la place où je peux mener du train à l'aise car j'ai l'assurance qu'il n'y a personne au-dessus du commerce. Deux cent soixante-quinze dollars en poche, c'est pas si mal. Mais il n'y a pas de temps à perdre, il faut que je m'en fasse un autre. Vive la patate!

J'ai décidé de me faire couper les cheveux. Pas très loin de chez moi, sur la rue des Prairies, se trouve un salon de barbier, le "Salon Bernard". Je trouve le propriétaire tellement sympathique que je décide de m'asseoir à sa chaise. Pendant qu'il me coupe les cheveux, on se parle un peu. Je suis jaloux de sa personnalité et je me sens très mal dans ma peau de voyou. Je l'écoute me parler calmement; il s'exprime parfaitement bien. Je me pose toutes sortes de questions: est-ce qu'il agit toujours de cette façon avec les autres clients? Est-ce qu'il est toujours aussi aimable? Aussi courtois et poli? "Comment t'appelles-tu?

— Marcel, et toi?

— Bernard Maltais.

— Ça fait longtemps que t'es ici à couper les cheveux?

— Une bonne quinzaine d'années. Tu veux fumer?

— Oui, merci.

— Est-ce que tu peux me dire, Marcel, qui t'a coupé les cheveux la dernière fois?"

Il s'arrête de travailler net, on dirait qu'il est découragé. "C'est un barbier du pen.

— Ah bon, je comprends. C'est pas possible de laisser sortir du monde de prison avec une pareille tête. Est-ce que je peux savoir si tu y es resté longtemps?

— Non, seulement seize mois.

— Eh bien, toi, t'es plus courageux que moi.

— C'est toi qui es courageux. Je n'aurais jamais pu couper les cheveux pendant quinze ans."

Ma coupe de cheveux terminée, je me lève et je regarde cet homme. Il est vêtu très proprement et ça m'a l'air que la cravate est de rigueur ici. Je lui laisse un billet de cinq dollars et il m'offre sa main. "Bonne chance dans la vie, Marcel, et si tu demeures proche et que tu as le goût de venir jaser, tu seras le bienvenu.

— Je te remercie, Bernard, à bientôt."

Je sors de là heureux comme un roi. On dirait que je viens de rencontrer mon Seigneur. J'ai la ferme conviction que celui-là sera désormais mon meilleur ami. Mais j'ai peur. On dirait que l'amitié ne veut pas de moi. J'ai perdu mon ami Jean-Pierre dans une querelle d'amoureux, et, récemment, mon ami Ti-Ben, que sa femme m'a arraché. Quelle maudite vie de chien! Tu m'as arraché ma famille ainsi que deux amis et tu m'as jeté en prison pendant presque quatre ans; maintenant ça suffit, j'espère que tu vas me crisser la paix toi, le bonhomme d'en haut!

Je règle l'affaire des deux restaurants qui me reste à visiter. Je les fais tous les deux dans la même semaine et j'amasse la somme de cinq cents dollars. Je porte maintenant des gants, histoire de ne pas laisser d'empreintes nulle part. La cicatrice de mon doigt, celui qui a été coupé profondément à Granby, me ferait répérer très facilement s'il fallait que je laisse des empreintes quelque part.

Maintenant, je vais me la couler douce jusqu'après les fêtes. J'ai tellement peur que mon ambition ne me tue que je décide de me reposer l'esprit de toutes ces histoires de vol. De toute façon, ça va être la trêve de Noël. Je rencontre Bernard à plusieurs reprises. Nous voilà solidement liés d'amitié. Il sait maintenant presque tout sur ma vie et mes séjours en prison. Ce qui le surprend, c'est de voir que je persiste à vivre des fruits du crime. À plusieurs reprises, il m'offre de m'aider à trouver un travail, mais je refuse carrément.

J'appelle ma tante Julie et lui fait part de mon intention d'aller voir mes parents. Elle ne dit rien, mais je sais qu'au fond, elle est en désaccord avec moi. Je tente de la faire parler mais... "C'est ton affaire Marcel. Tout dépend dans quel esprit tu y vas. Tu sais qu'à chaque fois que tu vas chez toi, tu reviens complètement déprimé.

— Cette fois, je vais essayer d'être plus fort."

Lorsque j'arrive à la maison, je frappe et j'attends qu'on vienne m'ouvrir. Je sais qu'il m'est défendu d'entrer de moi-même. Je suis heureux de voir mon père mais je sens que l'indifférence est en train de me gagner. Ma mère sort de sa chambre comme un coup de fusil. Je reste muet comme une carpe. "Marcel, dis bonjour à ta mère, voyons." Je refuse et baisse la tête. Elle est dans une colère bleue: "Léopold, s'il ne veut pas me dire bonjour, mets-le dehors, ce maudit baveux-là. Il n'a pas d'affaires à venir nous écoeurer icitte lui, sacre-nous le camp, maudit écoeurant." J'ai l'envie de me lever et de lui mettre mon pied au cul, mais je risque trop, car tous mes frères et soeurs sont ici. Heureusement, elle s'en va. Mon père ne parle plus. Il est en colère contre moi parce que j'ai refusé de dire bonjour à sa femme! Mon frère Gustave m'appelle: "Viens voir ma chambre, si tu veux." Est-ce que je suis devenu fou? Mon frère ose m'adresser la parole et me propose d'aller visiter sa chambre! Mais qu'est-ce qui se passe? Je n'y comprends plus rien. "Est-ce que je peux y aller, papa?

— Oui, ensuite tu reviendras t'asseoir ici." J'entre dans la chambre de mon frère. Il me fait asseoir sur son lit et s'empresse de me faire voir un immense poste de radio. J'en ai jamais vu de si gros et de si beau. C'est sûrement la Cadillac des radios. On dirait que j'ai les doigts qui me brûlent, je voudrais toucher à un des nombreux boutons-poussoirs, mais mon frère ne veut absolument pas. Je me contente de le regarder faire. Je suis émerveillé. Un jour, j'en aurai un exactement pareil. Mais quel rêve de fou.

Personne ne me parle de mon séjour au pénitencier à l'exception de mon père. On dirait qu'il se sent coupable de quelque chose. "Pourtant, Marcel, on t'a donné une bonne éducation. T'as été très bien élevé et t'as toujours mangé plein ton ventre.

— Oui, oui, papa, c'est vrai.

— Je ne peux pas m'expliquer ce qui se passe en toi. Nous avons voulu te faire instruire et tu as refusé.

— C'est vrai papa, vous avez raison. Bon, je vous donne la main et je m'en vais." Je le quitte avec un "salut" très sec.

On dirait qu'il y a quelque chose qui s'est tranformé en moi, c'est comme si l'indifférence s'intallait. Ça tombe pile, personne ne veut de mon amour. Mais l'essentiel, c'est que je me rends compte que la plaie commence à cicatriser. J'aimais tellement mon père que j'aurais donné ma vie pour lui. Plus maintenant, les choses ont changé. Je me sens fier de moi. J'ai fait un grand pas. L'indifférence est en train de nous séparer et c'est tant mieux.

Je prépare un autre vol dans un restaurant. Je fonctionne toujours de la même façon; je vais prendre un café, histoire de vérifier les lieux. Je vois que c'est possible mais que ce sera difficile, mais c'est tellement le fun que je refuse de capituler devant les gros barreaux de fer qui protègent la fenêtre.

Je fais part de mon projet à Bernard. Je sens qu'il commence à en avoir marre de mes vols, mais je sais qu'il ne me dénoncera jamais. "Marcel, c'est à n'y rien comprendre ton affaire. Assieds-toi un peu, je vais te parler maintenant qu'il n'y a plus personne." Pouah! Il est en train de me faire la morale. Rien à faire, le jour où je déciderai d'accrocher mes gants, ce sera seul.

Le soir, je me présente à l'arrière du restaurant. Il fait très noir, on ne peut m'apercevoir de l'endroit où je suis. Tout à coup, j'entends un bruit de chaîne et je vois un énorme chien noir qui sort en toute hâte de sa cabane. Je déguerpis en tournant le coin juste sur une patte. Eh bien, mon gros chien, fais ta prière car tes heures sont comptées.

Le lendemain, je me procure une livre de boeuf haché et une quantité considérable d'arsenic. Je fais le mélange poison et boeuf et je dépose le tout sur un radiateur à sections qui dégage une chaleur intense. À dix heures, je pars, mon paquet sous le bras. On dirait que le chien m'attend. Aussitôt qu'il m'aperçoit, il se dresse et aboie de toutes ses forces. C'est sûrement la faim qui le tenaille, le pauvre petit chien-chien. Tiens, régale-toi, mon tout petit. Je lui garoche une boule et une autre. Il avale le tout gloutonnement. Le pauvre animal. Il avait faim, voilà tout. Voilà, mon vieux, bientôt tu dormiras en paix et le ventre plein, parole de Canadien.

Le lendemain, dans la nuit, je reviens sur les lieux. La cabane à chien est vide. Je passe devant la grande vitrine du restaurant, il fait très noir à l'intérieur. Je n'y vois presque rien. Je colle mes yeux dans la vitre et je distingue la lumière qui provient des *juke-box* qui sont sur les tables. Tout à coup, mes yeux s'étant fait à la noirceur, je vois la silhouette d'un homme assis à une table devant une tasse de café. Il ne bouge pas, son visage est fendu en deux par quelque chose que je reconnais immédiatement. J'ai bel et bien vu, Dieu merci! Il attend le voleur la carabine à la main! Je prends mes jambes à mon cou sans demander mon reste.

C'est bien beau de réussir plusieurs effractions sans se faire pincer mais j'en ai marre de n'en tirer chaque fois que quelques centaines de dollars. Il faut que je m'attaque à quelque chose de plus rentable.

Je rencontre un jeune homme qui gère une buanderie et qui possède une concession de bureau de poste. Il faut que je me renseigne sur lui. Juste à côté, il y a une épicerie où je vais prendre mon déjeuner plusieurs jours d'affilée. J'avale mon gâteau et mon lait au chocolat pendant que l'épicier répond aux questions que je lui pose nonchalamment. Je me laisse dire que les affaires du jeune gars ne vont pas très bien. Son commerce est plus souvent sous clef qu'ouvert. Je crois que je tiens ma proie et je n'ai pas l'intention de lâcher prise. J'irai jusqu'au bout. Bientôt, j'irai chercher dans les quatre chiffres.

Le lendemain, j'y vais pour acheter un timbre, afin de connaître l'inventaire et de savoir quel sera le meilleur temps pour passer aux actes. Je retarde ma sortie, histoire de faire parler mon homme. "Dis donc, t'as un beau petit commerce, toi!

— Oui, mais si tu veux, je vais te vendre.

— Ça m'intéresse ton affaire, si t'as un prix raisonnable.

— Je veux tout lâcher à cause de ma blonde... Je n'ouvre presque plus depuis quelque temps.

— Ta blonde, elle veut te laisser?

— Ça ne va plus très bien."

J'ai envie de lui dire de lui fourrer un timbre dans le front et de la maller par courrier de deuxième classe, mais l'heure n'est pas à la blague. "Est-ce que tu demeures en arrière de ton commerce?

— Oh non! Viens voir à l'arrière, ce n'est qu'un entrepôt de linge sale et de sacs de colis postaux.

— T'es assuré ici?

— Oui.

— Tu ne connais pas quelqu'un qui pourrait te...? Je continue d'un geste et il comprend.

— Me faire voler, j'y ai déjà pensé, mais c'est risqué."

Nous voilà enfin branché sur la même longueur d'onde. On se donne rendez-vous chez lui pour parler de cette histoire.

Je lui rends visite à son domicile. Il me présente sa fiancée. Bon Dieu de Sorel, qu'elle est jolie son amie de coeur. On dirait une vraie catin. Elle nous laisse seuls. "Qu'est-ce que tu penses toi, le grand, d'un hold-up?

— Moi, je ne marche pas dans les hold-up. Je ne suis pas un *gunman* et je refuserai toujours de l'être. Je ne veux rien savoir de travailler sur le "morceau".

— Alors, qu'est-ce que tu suggères?

— Et bien voilà. Je procéderai par effraction. Suis-moi bien. La porte arrière s'ouvre de l'intérieur. J'y percerai un de ces soirs trois trous avec un vilebrequin et une mèche extensible. Je leur donnerai la forme de triangle. Comme ils seront très rapprochés les uns les autres, je n'aurai qu'à terminer l'ouverture avec une petite lame de scie. La majeure partie des débris de bois seront soigneusement disposés sur le parquet extérieur tout près et vis-à-vis des trous afin que personne ne puisser soupçonner que le coup a été fait de l'intérieur. Pour ce qui est du reste du travail, je ne t'en dis pas plus, afin de me protéger.''

J'ai déjà entendu parler de certains voleurs qui se sont faits doubler par leur associé et je ne veux à aucun prix que cette histoire m'arrive. ''Si t'as pas confiance en moi, laissons tomber.

— Ne pars pas en maudit. Je ne te connais pas; moi j'ai fait du pen et toi jamais. Je m'imagine un peu quelle tête tu ferais si un jour on t'arrêtait afin de t'interroger sur cette histoire. Sous la pression des interrogatoires, il n'y a rien qui dit que tu tiendrais le coup. Y en a des très courageux qui craquent.

— Bon, c'est d'accord. Comment on règle?

— Fifty fifty, ça va?

— Oui, c'est bien. Je vais hausser ma commande de timbres, ce sera plus payant.

— Combien peut-on frapper?

— Environ mille huit cent piastres.

— On fera le coup dans quelques jours.

— C'est d'accord.''

Je sors de son appartement tout grelottant de hâte. Mais j'ai peur de ce jeune blanc-bec. Il a vraiment l'air trop ''gorlo''. Je m'en veux de lui avoir parlé. J'aurais facilement pu faire le coup sans rien lui dire. Merde, ça me coûte la moitié du ''pognon'' pour défoncer la porte de l'intérieur. Quelle bêtise! Trop tard maintenant pour reculer. Si je change d'avis et qu'un jour il se retrouve avec son commerce ouvert, il me vendra sûrement. Ça m'a l'air d'un gars qui vendrait sa mère pour une canne de *Libby's*.

Je parle un peu de cette histoire à Bernard. Lui, il est entré ce matin à l'ouvrage frais et dispos et impeccablement vêtu et moi, qui ai dormi sur la corde raide à cause de mon idée de fou, je suis dans un état lamentable. Ça fait drôle de nous voir dans un miroir. Maudit que j'aurais aimé naître à côté de lui. Il m'aurait sûrement appris à marcher droit. Je lui tends la main. Il l'empoigne si fort que je sens mes orteils se retrousser. J'ai l'impression que je suis sur le point de partir bientôt pour un long voyage et que je ne le reverrai plus jamais. Je jette un coup d'oeil rapide sur son établi et je vois le long couteau effilé qui sert à tailler les cheveux. J'ai une envie profonde de lui sauter dessus et de me faire péter la veine du cou. Mais je ne veux pas causer de trouble à mon ami. Il s'est bien rendu compte que quelque chose ne va pas. Il vient vers moi, me tape sur l'épaule et me dit: "Tu prépares un sale coup, ma vieille branche, je suppose.

— Oui, c'est pour bientôt. Si tu savais combien j'aimerais être à ta place.

— Marcel, c'est toujours plus beau dans la cour du voisin. Mais si tu veux obtenir quelque chose, tu n'as qu'une chose à faire, bûcher et bûcher encore, ça, c'est une loi.

— Toi, t'as la paix dans l'âme et moi j'ai la haine, le mépris, la vengeance et bien autre chose qui me colle au cul. Je crois qu'il n'y a rien à faire avec moi, Bernard.

— Si, il y a de quoi à faire, mais maudit, grouille-toi, change de linge, change de bottes, fais quelque chose pour t'aider et ensuite les autres t'aideront; tu as vraiment l'air d'un sans allure avec tes grosses maudites bottes. Si au moins tu pouvais les attacher...

— Ça y est, maintenant j'ai l'air d'un chien en culotte.

— Marcel, tu n'es pas parlable ce matin, laisse tomber.

— Tu connais le jeune qui est propriétaire du bureau de poste?

— Oui, il vient se faire tailler les cheveux ici, c'est un client.

— Tu le connais bien?

— Pas plus que ça. Tout ce que je sais de lui, c'est que ses affaires sont à la baisse. C'est un traîneux qui braille après sa blonde.

— D'après toi, est-ce que ce type est un bavard ou si c'en est un qui ferme sa gueule?

— Hein? Tu ne vas pas me dire que...? Marcel, t'es pire qu'un engin. Tu ne t'arrêteras jamais. Ne me parle plus de cette histoire, si tu veux bien, j'en sais déjà trop, mais s'il t'arrive malheur, tu auras sauté dessus. Je n'en reviens pas de te voir aller."

Dans la même journée, je rencontre mon associé. Il m'assure qu'on fera le coup dans sept jours. Entretemps, je ne m'occupe de rien, je flâne, j'erre ici et là d'une rue à l'autre, me laissant aller comme une feuille au vent.

Au bout d'une semaine, je vais au bureau de poste pour voir mon "associé" et je me cogne le nez à une porte close. Le local est complètement vide et l'enseigne a été enlevée. Je rêve! C'est pas possible. J'entre chez l'épicier afin de savoir ce qui se passe. Il me dit que son voisin a foutu le camp sans rien dire à personne et que la poste a tout saisi. Je suis estomaqué. J'ai dépensé toute mon énergie pour monter le coup et je me retrouve le bec dans l'eau. Quelqu'un a-t-il vendu la mèche? Je ne le saurai jamais et je n'ai jamais revu mon kid.

Lorsque je raconte cette histoire à Bernard, il se contente de sourire. "Tu ne m'apprends rien, me dit-il. Je savais tout. Il "empruntait" souvent l'argent de la poste et ils ont fini par s'en rendre compte.

— Cette maudite poule mouillée, si je l'attrape, je vais le faire payer!

— Tu ne le reverras jamais, Marcel."

C'était vrai. J'ai arpenté le quartier pendant six ans et je ne lui ai jamais revu la fiole. Ainsi se termine une autre sale histoire, mais je ne me laisse pas abattre et j'en mettrai bientôt une autre en marche. Je ne me laisse jamais prendre au dépourvu.

Bernard me dit qu'il connaît quelqu'un qui aurait du travail pour moi. C'est une femme qui est propriétaire d'une grosse taverne et elle veut la repeindre. Je lui téléphone. "Tu peux faire la job au contrat?, me dit-elle.

— D'accord."

Il faut que je repeigne tous les plafonds et le haut des murs de la place.

Je me présente à la taverne. La femme est attablée avec quelques gros hommes bien mis. Je lui tends la main en pensant à mon ami Bernard; c'est lui qui m'a enseigné à serrer la main. Les autres se retirent pour nous laisser discuter, mais je vois qu'ils écoutent la conversation discrètement. "Mais qui sont ces hommes, madame?

— Eux, ce sont des pompiers qui s'offrent à faire le travail."

Bande de maudits affamés, de crève-la-faim, de têtes de fromage, vous ne pourriez pas laisser vivre les autres? "Monsieur, faites le tour et faites votre prix. Je crois que je vais vous prendre, votre ami m'a donné de bonnes références sur vous."

Je ne suis pas sorti du bois. Le plafond qui est très long est en stucco, ensuite il y a des fausses poutres qui passent de long en large et qu'il ne faut pas abîmer. C'est un travail de titan. Je suis découragé, je n'arriverai jamais à tout faire, je regarde la descente d'escalier qui est immense et qui, elle aussi, est finie en stucco. J'ai déjà mal au cou rien que d'avoir regardé et le travail n'est même pas fait!

Franchement, j'ai le goût de tout lâcher, mais je virevolte sur moi-même. Non, Marcel! Ce maudit travail, tu vas le faire et ça presse. C'est pas pire que faire deux ans au pen. Si t'as été capable de faire ton temps, t'es ben capable de peinturer une taverne. Bon Dieu de Sorel, je la ferai cette taverne, primo pour enlever le travail aux trois pompiers qui attendent, et secundo pour faire plaisir à mon ami Bernard et à ma tante Julie. Je vais voir la patronne: "Je fais tout le travail proprement pour trois cents dollars, si vous fournissez la peinture.

— C'est d'accord. Quand voulez-vous commencer?

— La semaine prochaine, lundi."

Marché conclu. Voilà ma première job depuis ma sortie du pen.

* * *

Je vais passer un beau Noël. J'ai décidé que je ne serai heureux un vingt-quatre décembre que si je réussissais un coup particulièrement difficile. J'arrête mon choix sur un magasin avec une grande vitrine dans laquelle s'amoncellent des cartons de cigarettes. Cette fois, je vais mettre le paquet. Il y a un grillage métallique très épais et des barreaux de fer, mais rien ne m'arrête. Tout est clair dans mon esprit; il ne me reste qu'à attendre le moment propice. Je fais le coup pendant la messe de minuit. Il ne fait pas trop froid, mais c'est terriblement humide. Je travaille à genoux ou couché par terre, très rapidement. Quand j'atterris à l'intérieur, je prends une bonne quinzaine de minutes pour me réchauffer tout en cherchant où peut bien se trouver la prise qui fait le contact des fluorescents. J'éteins ceux qui se trouvent près du comptoir et je laisse allumés ceux qui font face à la vitrine. Leur clarté me fera un écran protecteur. Puis je me mets au travail de chargement. Ma valise et tout l'arrière de l'auto sont bientôt chargés à ras bords. J'emporte aussi une grosse calculatrice pour faire mon cash. Voilà, c'est ma plus belle nuit de Noël, tout c'est fait dans l'ordre et sans anicroche. Je rentre chez moi tout heureux et j'entonne le *Minuit Chrétien*!

Le lendemain je vais chez un vieux qui m'a aidé jadis, un tabaconiste qui m'a refilé un tuyau. Je veux le remercier dignement. C'est à lui que je vends toutes ma cargaison. Il est vraiment très fier de se procurer des cigarettes à si bas prix. En tout cas, pas question de le fourrer, je ne suis pas un crosseur de poule morte. Je lui vends tout à deux dollars et demi le carton. "Mais c'est beaucoup trop. Je n'ai pas assez d'argent sur moi pour te payer.

— Pas grave, Ti-Père, si vous avez été capable de me

faire confiance dans le passé, je peux moi aussi, et vous me paierez plus tard!"

Il a un grand sourire.

"Ti-Père, entre gamiqueux, on peut s'entendre, et vous avez les meilleures marques." Me voilà maintenant prospère, j'ai un créancier sur les bras; y paraît que je finance mes acheteurs maintenant!

Je redéménage. Ma nouvelle propriétaire, mademoiselle Ginette Létourneau, est d'une gentillesse extrême. Tout ce qui l'intéresse, c'est le monde des affaires. Elle me dit qu'elle possède plusieurs propriétés et qu'elle est seule pour tout administrer, et que parfois elle aurait le goût de tout lâcher tellement elle se sent prise de fatigue. C'est vraiment drôle de la voir. Une toute petite femme haute comme trois pommes et grassette; elle marche comme un pingouin. Elle s'occupe de tout et répond à ses locataires avec une extrême gentillesse. Je lui raconte un peu mon histoire. "Vous savez, mademoiselle, on dirait que je viens juste de sortir du pen et j'aimerais travailler un peu.

— Qu'est-ce que tu sais faire?

— Bien, j'ai déjà peinturé une taverne, tiens, j'ai peinturé aussi une pièce chez ma tante et aussi chez le barbier Bernard, et je sais faire aussi quelques réparations de plâtre.

— J'ai un homme qui arrive dans quelques minutes pour peinturer, je vais te le présenter, c'est un très bon garçon, il travaille très bien, mais il a un fichu caractère et lui aussi, il a fait du pen. Ça fait plusieurs années qu'il est sorti et il y pense encore.

— Mais qu'a-t-il fait? Le savez-vous?

— Oui, il a pendu une dame dans le haut de l'escalier intérieur de sa maison pour lui faire dire où elle cachait son argent. On l'a accusé de vol avec violence et il a écopé de huit ans de prison. C'est un gentil garçon, mais ne le mène pas qui veut. Tiens, le voilà qui arrive justement.

— Salut, mon nom c'est Marcel.

— Moi, c'est Ti-Jos.

Il se met au travail. Ça m'a l'air d'un dur de dur ce bonhomme-là. Il t'a tout une tête et un cou et des bras qui font deux fois les miens. "Vous travaillerez ensemble, dit mademoiselle Létourneau, j'aurai bien du travail pour deux.

Ti-Jos et moi, on est terriblement influençables, on se monte la tête l'un et l'autre et j'ai découvert un truc afin d'avoir plus de travail. Je brise les murs à coups de chaise ou à coups de manche de pinceau. Un jour, Mademoiselle nous demande de transporter un gros frigidaire dans une autre pièce. Je ne suis pas un déménageur très délicat. On couche le frigo sur le côté et je le pousse tout bonnement dans l'escalier. On se tord de rire en voyant le gros bazar dégringoler tout seul les grandes marches. Pauvre Ginette, elle est au désespoir. On a dû repeinturer tout l'extérieur du frigidaire tellement il y avait du dégât. Mais je ne perds rien pour attendre. Mademoiselle Ginette ne veut plus de moi; elle a découvert mes méfaits. Cette pauvre vieille fille que j'aime tant, je lui en ai donné du fil à retordre! Mais on dirait qu'elle se sent incapable de m'abandonner, c'est sans doute parce que j'ai du talent. Je peinture avec facilité, je fais le plâtre, de nombreux travaux de plomberie et même d'électricité. "Mais où as-tu appris à travailler, toi?

— Avec mon père. Lui, il faisait absolument tout dans la maison et c'est un menuisier de métier et de première classe.

— T'as pas eu l'idée de suivre ses traces?

— Non madame, c'est trop facile, moi, j'aime faire des choses qui sortent de l'ordinaire, des choses presque infaisables, des choses qu'à peu près personne ne pourrait accomplir." Ginette me colle un surnom: "la boîte à surprises".

Un jour, en faisant le tour d'un entrepôt, j'aperçois un coffre-fort. J'en ai jamais vu de si petit et il est encastré, histoire peut être de mieux le dissimuler. Je n'ai plus de repos. Je veux ce coffre-fort. Je suis incapable de penser à autre chose.

Ça ne prend pas de temps. Une nuit, je fais sauter la vitre de la porte de l'entrepôt et je n'ai qu'à passer le bras à l'intérieur pour la débarrer. Le petit coffre est là. Il m'attend. Il me faut une grosse heure pour le libérer de son armoire. Il est terriblement pesant. Il doit faire dans les cent livres. Arrivé à l'extérieur, je le place quelques instants sur le côté du chemin et je l'abrille de mon manteau en attendant que passe un taxi. En voilà un qui s'arrête. Je prends le coffre et le place sur le siège arrière. "Mais qu'est-ce que c'est que ça? Ça a l'air pesant ton chargement, s'exclame le chauffeur en se tournant vers moi.

— Regarde devant toi, mon vieux, c'est dans cette direction-là que nous allons."

Arrivé au coin de la rue, je sors mon coffre et j'attends que le taxi soit loin pour entrer chez moi. J'ai réussi le coup, j'ai fait un travail sans bavures, mais quel risque énorme j'ai pris! Le chauffeur de taxi a sûrement remarqué quelque chose. Heureusement je l'ai fait taire avec un gros pourboire. Je rentre chez moi et dépose mon fardeau dans la salle de bain. J'ai tout mon temps pour l'ouvrir.

Six heures du matin arrive. Dans quelques heures, je serai riche. J'irai faire du magasinage. Prenons un crayon et un papier. Une télé couleur, une douze pouces, ce sera suffisant: quatre cents dollars. Ensuite une très bonne caméra avec tout l'attirail: huit cents dollars. Un *camper*, non, c'est trop cher et je n'ai pas de camion pour le tirer. Une radio allemande, et rien d'autre qu'une *Saba*, la cadillac des radios. J'irai la chercher moi-même aux États-Unis: mille cinq cents dollars avec le voyage. Je pourrais aussi me payer, tiens, une belle bague en diamants à mille piastres, et la balance, je la dépenserai en habillement, mais pas question de m'acheter une minoune, pas question d'acheter les troubles des autres. Les joues me brûlent très fort et je passe à la salle de bain pour me faire quelques compresses d'eau froide. Le coffre dort tranquillement. Je m'assieds sur le bol de toilette en tenant ma compresse et je le regarde avec attendrissement. C'est comme s'il faisait un soleil merveilleux ce matin, pourtant le ciel est tout gris.

Sans faire de bruit, j'ouvre le coffre; la porte ne résiste pas très longtemps et elle se fend en deux. Il s'en échappe de la poudre grisâtre; c'est sûrement un coffre à l'épreuve du feu. J'ai infiniment hâte de mettre la main sur ma fortune et j'ai envie d'éclater de rire en pensant aux durs du pen qui traitent les autres de voleurs de sacoches. On n'a plus les sacoches qu'on avait! La porte vient de céder et j'aperçois un amoncellement de paperasses. Il y a des enveloppes que j'ouvre rapidement; ma main saigne, je l'ai accrochée à un morceau de tôle froissée en travaillant trop rapidement. Les enveloppes sont vides. La fortune est sûrement en arrière de l'autre petite porte faite de tôle mince et qui est verrouillée. Je la fais sauter. J'y suis, je plonge les deux mains au fond du coffre et j'en retire les dernières enveloppes. C'est incroyable et même impensable, mais je ne retrouve à l'intérieur du coffre qu'un sou noir, et même il est très noir. J'ai de la difficulté à me relever tellement je suis abattu. Maudit mauvais sort! Y a pas un saint qui reste accroché au ciel, je les descends tous, sans exception, même ma patronne, et j'en invente dont je n'ai jamais entendu parler dans les litanies. J'ai beau fouiller tous les papiers et toutes les enveloppes, rien! Je m'allonge tout habillé sur le divan et je m'endors, anéanti. Le lendemain, je vais tout raconter à Bernard. Je ne suis qu'un pauvre imbécile. Mon ami me regarde. Il ne sait plus quoi dire pour me remonter le moral: "tu es décourageant Marcel, tu n'es vraiment pas parlable.

— Je suis tellement désespéré que si j'avais une grenade en main, je la lâcherais ici en plein restaurant.

— J'espère que si un jour t'en as une, tu auras la charité de me le dire afin que je puisse décamper.

— T'en fais pas, je ne te ferai jamais aucun mal et sois assuré de ma protection.

195

— Bon. Je respire! Quels sont tes projets maintenant?

— Je vais risquer un coup. Ce sera le dernier. Il sera difficile à réussir mais ça fait longtemps que j'y pense et pas question de le filer à d'autres. Je te jure que c'est le dernier.

— C'est quoi? Tu veux me le dire?

— C'est le grec, le marchand de longs-jeux.

— Rien que ça?

— J'aimerais bien trouver quelque chose pour te faire changer d'idée. Et qu'est-ce qu'il y a là-dedans?

— C'est immense. Il y a quatre caisses enregistreuses, une dizaine de *slot* machines, trois tables de *pool*, et une tonne de longs-jeux et de 45 tours. Quand je te dis que c'est immense, crois-moi, c'est vrai.

— Est-ce qu'il y a un système d'alarme?

— Bien sûr que oui.

— Et tu veux le "faire" quand même?

— Oui, c'est même pour ça que j'y vais, c'est trop invitant.

— Marcel, y en a pas deux comme toi."

La température est de mon côté. Il fait froid, tant mieux! Ça évite le flânage extérieur. Je me fabrique un abri en forme de V dans un immense morceau de polythène très épais et opaque. Ensuite, j'installe un madrier à l'intérieur; c'est lui qui va me servir d'échelle.

La nuit venue, je m'installe très rapidement. Il est impossible de me voir. Je peux donc scier à l'aise le barreau de fer. Quelques automobiles passent dans la ruelle; mes jambes tremblent tellement j'ai peur que quelqu'un ne s'accroche au pied de mon installation. Le travail est très pénible. Au bout d'une demi-heure, je n'en peux plus. Impossible de demeurer plus longtemps en équilibre. De plus, j'ai les pieds et les mains gelés durs. Je décide de tout laisser là et de revenir le jour suivant. Je cache mon matériel entre deux édifices et je rentre chez moi, très mécontent.

Le lendemain, tout a disparu! Il ne me reste qu'à tout reconstruire. Mais plus question de perdre de temps. Je mène l'affaire rondement. Le barreau est bientôt scié à la base et je l'enlève comme un rien. Le châssis s'ouvre, lui aussi. Reste le fil d'alarme qui passe au centre et qui est retenu par un petit oeillet. Hop! je le décroche et je saute à l'intérieur du magasin. Tiens, voilà sans doute la boîte de connection qui sert de protection. Il y a tout un paquet de fils. J'ai le choix entre couper le gros fil ou fermer le courant pour mettre le signal d'alarme hors d'usage. Je décide de baisser l'interrupteur, mais quel vacarme! Ça sonne de partout. Où est la sortie? Je n'en vois aucune. À tout hasard, je coupe le gros fil. Tout s'arrête. Mais je n'y vois presque plus. J'ai reçu en pleine face une énorme boule de feu qui m'a brûlé les cils et la moitié des sourcils. Je ne retrouve plus mes pinces coupantes, elles m'ont échappé des mains. J'ai beau chercher, j'en aurai sûrement besoin, mais c'est perdu. Tant pis, j'en fais cadeau au Grec; il n'y retrouvera aucune empreinte car je porte des gants. Je remonte à l'étage. Il y a beaucoup de travail. Les quatre caisses enregistreuses commencent par faire la grimace, mais elles finissent par lâcher prise. Puis, les cinq ou six *slot machines* se font à leur tour ouvrir la gueule à coup d'arrache-clous. J'entasse un nombre considérable de longs-jeux et de cassettes dans six gros sacs à ordures et je porte le tout près de la porte de sortie arrière. Profites-en, Marcel, c'est ton dernier coup. Je me traîne bientôt dehors avec mes trois poches de vidanges. Mission accomplie. Il ne me reste plus qu'à rentrer chez moi.

Le lendemain, je vais voir Bernard à qui je confirme ma décision de ne plus jamais voler. Mon pauvre ami, il est heureux comme s'il venait de gagner le million. "Vas-y, continue, je t'écoute encore.

— Je crois que je n'ai plus rien à dire, je pense très fort à la promesse que je viens de faire et tu sais que ce n'est pas la peur qui m'arrête.

— Je sais.

— Ce geste, je le pose pour toi et pour ma tante, qui vous êtes abaissés à m'aimer et à m'aider.

— Non Marcel, c'est pour toi, c'est toi qui va en bénéficier. C'est toi le vainqueur.

— Vainqueur mon oeil, je serai vainqueur lorsque j'aurai appris à tout ignorer de ma famille, de ce qui me ronge et me fait mal.

— Marcel, tu as passé l'âge de t'accrocher à ta mère et à ton père, tu dois faire ta vie maintenant.

— Un instant, mon ami. Tu frises la quarantaine, pourtant, à tous les mois, tu vas voir ta mère. T'en as besoin de ta mère, t'attends cette visite et tu ne pourrais pas t'en passer. Il n'y a pas une maudite personne au monde qui peut vivre sans amour. Tu me demandes de me décrocher de mes parents, mais toi le premier, en serais-tu capable? Serais-tu capable de ne plus jamais revoir ta mère?

— Non, je ne crois pas.

— Alors, aide-moi Bernard.

— Tiens, Marcel.

— Qu'est-ce que c'est?

— C'est la clef de mon commerce. Garde-la pour toi seul, ne la prête à personne.

— Mais Bernard, t'es pas sérieux, pourquoi tu me fais confiance?

— Je n'ai aucune crainte et si tu veux venir écouter de la musique ou regarder la télé en arrière, viens, mais n'oublie pas de barrer.

Je regarde la clef comme si on venait de me remettre un lingot d'or. Quelqu'un qui me fait confiance à ce point, c'est un miracle.

Cette nuit, je me réveille en sursaut. J'ai rêvé que ma mère m'avait attaché les mains derrière le dos pour me battre. J'avais beau lui demander pourquoi en pleurant, elle me donnait la volée sans desserrer les lèvres. Mais tout à coup, j'ai vu rouge, j'ai eu l'impression d'être devenu fort comme Goliath, j'ai arrêté de pleurer net, et je l'ai attrapée par le pied pour la faire culbuter. Puis je me suis sauvé. Ma nuit est finie, je suis de mauvaise humeur. Si elle était là à ce moment précis, je l'étoufferais avec plaisir. Ça me rappelle le jour où je lui ai arraché son gros bâton des mains pour la menacer.

J'ai une auto et ça me donne le goût de me lancer dans la vente de porte à porte. J'en parle à Bernard. "Vas-y Marcel, certainement que tu peux réussir, moi j'ai déjà vendu des chaudrons au porte à porte et regarde, avec ça, j'ai été me chercher un commerce.

— Oui, mais moi je suis gêné.

— Lâche-moi donc un peu!Tu n'es pas plus gêné que moi. Commence par t'habiller comme du monde et si tu n'as pas de cravate je t'en passerai quelques-unes et je te dis que tu vas réussir." Tout heureux, je vais me changer et je file acheter du stock. J'achète pour deux cents dollars de bas-culottes *one size* et des bas pour hommes de bonne qualité. J'ai, d'après la vendeuse, les meilleurs couleurs: miel doré, *spice*, moka, *burn amber, dark brown, navy* et beige. Je les renvendrai douze dollars la douzaine. Quand aux bas d'hommes, je les vendrai le double du prix.

Je vais faire une répétition générale chez Bernard.

"Salut Bernard, regarde!

— Mais où tu as pris ta valise?

— C'est la valise du pen. Elle est complètement neuve. Regarde, elle s'ouvre complètement sur le dessus. Si tu veux des bons bas, tu peux te servir, je te fais un prix spécial.

— Non et non! Si tu viens ici pour me vendre des bas, il va te falloir agir en vendeur professionnel.

— Non mais t'es devenu fou, ma foi du piquet?

— Sors avec ta valise et entre en te présentant comme un homme."

Je suis gêné, d'autant plus qu'il y a un client qui nous écoute et qui est plié en deux de rire. "Vas-y, Marcel, personne va te manger.

— Je suis incapable de jouer le rôle d'un vendeur." J'ai une envie maudite de sacrer le camp et j'en veux terriblement à Bernard. Maudit salaud d'homme, espèce de maudite fausse couche, tu m'encourages et puis tu te fous de moi! Ça me tente de tout lâcher et de laisser le matériel sur le bord du chemin et de sacrer le camp et de ne plus jamais revoir mon ami. Mais qu'est-ce que je vais devenir? Je serai seul, complètement seul, il ne me restera que ma tante. Bon, ça va, j'ai compris, je me donne une solide claque sur la gueule, je retrousse ma cravate et j'entre.

Je pousse la porte et je manque m'étendre de tout mon long: "Crisse de marche, bonjour messieurs." Le grand Bernard est plié en deux et rit tant qu'il peut. J'ai le visage qui me brûle. Est-ce que tu en veux à ma marche maintenant? Marcel, si tu veux devenir un homme d'affaires sérieux, tu devras faire attention à ton langage.

— Alors, je m'en viens vous offrir des bas pour hommes, première qualité, tout ce qu'il y a de mieux. Regardez ce que j'ai à vous proposer." J'en vends une grosse douzaine à Bernard, à ses employés et à un client.

— Est-ce que tu vas les faire essayer tes bas-culottes, mon grand brochet?

— C'est ça, ris de moi maintenant!

— Écoute Marcel, si tu ne vaux pas une risée, tu ne vaux pas cher. Vas-tu vendre cet après-midi?

— Es-tu fou, je suis complètement vidé, je n'ai plus rien dans les jambes, tu m'as trop fait forcer tout à l'heure et maintenant je n'en peux plus.

— Mon grand Marcel qui commence à raisonner, c'est merveilleux."

Le soir, je couche avec ma valise à côté de mon lit. J'ai très peur du lendemain. Peur de quoi? Je ne sais pas, impossible de la définir cette peur. Peur de faire rire de moi, peur qu'on me mette à la porte, peur de ne pas réussir, de me faire regarder en face, de me faire ridiculiser.

Le jour n'est pas encore levé. Je me lève et me regarde dans le miroir de la salle de bain. Mon Dieu! J'ai l'air d'un monstre, j'en ai des frissons partout. Je me précipite à la porte d'entrée et je l'ouvre toute grande, j'allume toutes les lumières, j'ouvre mon poste de radio et je m'applique à tout écouter. Il faut absolument me changer les idées. J'écoute les messages publicitaires comme si c'était moi qui les avait fait. Je réussis enfin à me déconnecter.

Vers dix heures, je me présente chez Bernard; j'ai fait un effort pour nouer ma cravate, mais j'ai gardé mes grosses bottes que je tiens maintenant attachées. "T'es pas parti faire de la vente?

— Non, pas aujourd'hui, j'ai passé une nuit blanche. Je suis pogné par la peur maintenant.

— Eh bien, attends à demain, c'est tout. Tu peux rester ici aujourd'hui pour penser à ton affaire. Je sais que tu peux réussir à condition que tu le veuilles, tout le monde peut t'aider mon grand, mais il n'y a personne qui va "vouloir" à ta place."

Le lendemain, je suis en pleine forme. J'ai toute cette belle journée devant moi et il fait un très beau soleil. Marcel, tu vas faire des affaires. Je stationne mon auto dans le Vieux-Montréal et je commence à faire du porte à porte chez chacun des commerçants que je rencontre. Mon premier client est un nettoyeur. Je sais que je ne vendrai rien, mais il faut que je casse ma gêne. J'ouvre ma valise afin de lui faire voir mon matériel. Il me fait comprendre qu'il ne veut rien. Le suivant est un épicier. Je place ma valise par terre, je l'ouvre, et il m'achète trois paires de bas pour hommes. Je suis au comble de la joie. Je continue... J'entre dans un petit restaurant et je vends aux deux serveuses une douzaine de bas-culottes *one size*. Voilà, je suis parti, ma gêne est loin derrière moi.

Je travaille tard le soir. Je vais au comptoir des bars et j'offre mes bas à la douzaine. Un soir, un client s'approche de moi et fouille ma valise. Je le regarde sans dire un mot; il a toute une face; c'est sûrement pas lui qui a inventé la croix de Saint-Louis. "C'est combien ça?

— Douze dollars.

— C'est combien tes bas d'hommes?

— Un dollar chacun.

— Bon, je te donne quinze dollars. Donne-moi les couleurs qui se portent le plus. Ça fait longtemps que tu fais ce métier?

— Non, je débute.

— T'as décidé de ne plus travailler sur le "morceau"?

— Quoi, tu me connais, toi?

— Non, va voir le gérant, je crois qu'il veut te parler."

"Bonjour, vous êtes le gérant?

— Oui. Montre-moi ton stock et donne-moi une douzaine de bas-culottes.

— D'accord, mais je dois aller dans ma valise d'auto, je n'ai plus grand choix dans celle-ci. Est-ce que je peux laisser ça ici?

— Oui, y'a pas de voleurs ici.

— Le type à qui j'ai vendu tout à l'heure, c'est ton chum?

— Oui.

— Pourquoi il m'a demandé si j'avais décidé de ne plus travailler sur le "morceau"?

— C'est à cause de ta valise.

— Qu'est-ce qu'elle a ma valise?

— C'est la valise du pen et on l'a reconnue. Moi, j'en ai deux chez moi, et lui, il vient de sortir d'un douze ans. Tu peux revenir et bonne chance."

Ça parle au diable. Maudite valise du pen, j'ai envie de t'embrasser, tu me fais faire de l'argent. Dorénavant, tu me suivras partout où j'irai. C'est incroyable! J'ai commencé à vendre avec deux cent dollars de marchandises et maintenant tout l'arrière de l'auto est rempli comme la gueule de la baleine à Jonas. Plus ça va, plus ma clientèle augmente. Plusieurs clients ont reconnu la valise du pen et ils ont acheté sans même s'informer de la couleur ou de la grandeur!

La semaine suivante, je refais les mêmes endroits. Mais, c'est bizarre, plusieurs clients ont la mine basse et me répondent bêtement, et j'en frappe d'autres qui me revendent tout ce qu'ils m'ont acheté pour la moitié du prix. Je ne peux rien dire car j'ai garanti ma marchandise contre tout défaut ou vice de fabrication. J'ai déclaré bien haut que je remettrais l'argent ou que je ferais l'échange. J'aurais dû fermer ma grande gueule. Je n'ai jamais eu autant de retours. Une gérante de restaurant m'apostrophe. "Monsieur, je vous retourne six douzaines de paires de bas. Nous en avons ouvert quelques paires et ils ont des défauts.

— C'est rien, madame. Je vous remets votre argent ou je vous échange le matériel?

— Non, monsieur. Les filles n'en veulent plus. Elles n'aiment plus vos bas.

— Madame, écoutez...

— Monsieur, j'ai du travail et je n'ai pas le temps de discuter". Va au diable, espèce de tête de chat et tes bas colle-toi les quelque part.

Les retours continuent. Ça me paraît vraiment bizarre. J'en parle à Bernard. "Aurais-tu changé de qualité de bas, me demande-t-il?

— Non, Bernard, le Juif m'a dit que le manufacturier avait changé l'emballage mais le bas est le même.

— As-tu vérifié?

— Non, comment veux-tu que je vérifie, ce n'est pas moi qui les porte, ces bas-là!

— Montre-moi ça."

Il a vu juste. Je place les bas dans chacune de mes mains et j'ouvre les doigts afin de mieux voir le tricot. "Regarde, Bernard, tu vois?

— Pauvre Marcel, ça se voit à l'oeil nu ton affaire. Les pauvres filles, elles ont bien raison de se plaindre."

Ce maudit parvenu de Juif! J'ai beau aller le voir et me plaindre mais rien à faire. Afin de me venger, je veux lui passer un chèque sans provision, mais c'est clair, il ne prend pas de chèque!

Je charge mon auto à pleine capacité et je prends le chemin de la campagne. Je m'informe au ministère de l'office de la protection du consommateur du Québec et on me dit que je dois me procurer un permis provincial, mais que ce permis-là ne me donne pas le droit de vendre partout au Québec. Chaque municipalité peut demander un autre permis. Le tout me coûtera six mille dollars. Je suis estomaqué: "Je n'ai jamais payé pour une job, je ne paierai jamais et je vendrai pareil, madame.

— Mais vous n'avez pas le droit. Si quelqu'un porte plainte contre vous, vous allez tout perdre.

— C'est pas grave. Parce que, justement, je n'ai rien, madame, excepté des bas-culottes."

J'arrive à Sorel et j'entre dans un restaurant, ma valise à la main. Je prends place au grand comptoir. "Bonjour mademoiselle. Un café, s'il vous plaît. Je viens vous offrir des bas-culottes de première qualité et j'ai aussi des *panties* de toutes sortes de couleurs et des bas pour hommes." Je lève les yeux pour la regarder, et je vois qu'elle est terriblement gênée. Vitement je me dis: "Si elle est gênée, il faut que tu la mettes à son aise, car la vente risque d'être perdue. Lorsque tu lui auras montré toutes les couleurs, tu lui pousseras tout le matériel près des mains en surveillant très discrètement et tu lui parleras d'autre chose. De n'importe quoi, tiens, de la température et tu garderas ton air nonchalant." J'ai réussi, je lui ai vendu six paires de bas et six *panties*.

J'entre à Saint-Jean d'Iberville. Mon premier client sera sûrement le restaurant d'en face. Il y a deux serveuses en devoir et je m'assieds au grand comptoir, juste à côté d'un type. Après avoir commandé un café, j'ouvre ma valise et j'étale le tout sur la tablette. Mais une surprise m'attend. Le type qui est assis à ma gauche me tend sa carte d'identification. Après avoir lu, je deviens nerveux et presque fou de rage. Je me dis qu'il n'y a personne sur cette planète qui va m'empêcher de gagner ma vie. Ça me tente de sauter à la gorge du type, mais je m'arrête. Je vais essayer autre chose. Je pense très fort à mon ami Bernard qui, cette fois, est très loin de moi, et je décide d'agir en monsieur d'homme, quelque chose que je n'ai jamais été. "Qui êtes-vous, monsieur?

— Je suis inspecteur de permis pour le gouvernement et je voudrais voir votre permis de vendeur itinérant.

— Je regrette, mais je n'en ai pas.

— Alors, vous n'avez pas droit d'être vendeur itinérant.

— Allons monsieur, restons calme, il y a sûrement possibilité de s'entendre.

— Non, je suis obligé de porter plainte contre vous et les serveuses seront témoins. Vous aurez à payer une amende de deux cent dollars." Le maudit chien en culottes, y'a rien à faire avec lui.

"C'est bien, monsieur, vous ne faites que votre travail et je vous admire.

— Alors, montrez-moi vos papiers d'identité.

— Certainement. Ils sont dans mon auto et je vais les chercher. Mais avant de tout mettre dans ma valise, permettez-moi de vous offrir quelques paires de bas pour hommes. Regardez, c'est une très bonne qualité. Lisez vous-même, 90 p. 100 *Krol Wool* et 10 p. 100 nylon et regardez les couleurs. Attendez, je regarde vos pieds et vous faites pointure dix. Voilà ce que ça vous prend, monsieur. C'est un dollar la paire.

— Donnez-m'en deux paires. Voilà.

— Merci.

— Et maintenant, je ramasse tout. Ça ne sera pas long. Je reviens avec mes papiers."

Va au diable, espèce de fumiste, tu ne me reverras jamais. Si c'est vrai que t'es inspecteur, je te dis que c'est pas toi qui a inventé la mouche à feu. Je file vers Montréal en écrasant l'accélérateur à fond. Je suis fier d'avoir réussi à le déjouer.

Je ne prends plus de risque. J'ai eu trop peur de me faire pincer et de payer une amende. J'écoule donc tout mon stock et je me lance dans la vente de bijoux de pacotille. J'achète un lot de bagues pour dames, toutes emboîtées dans un grand étui et une quantité appréciable de montres-bracelets qui me coûtent cinq dollars chacune. J'en ai pour tous les goûts.

Je mets mes peurs de côté et je repars à la campagne. Je fais plusieurs petits villages. Mon but est de refiler toutes mes montres dans les tavernes et les hôtels. Ça marche! Je vends deux fois le prix payé. Le truc est simple. J'entre dans un débit de boisson avec des montres en poche. Je commande une bière et j'observe la clientèle. Je ne m'en prends jamais à ceux qui sont ivres; c'est trop facile et je me refuse d'agir de la sorte. "Hé, les gars! Ça vous tente de faire un marché? J'ai quelque chose en poche qu'il me faut vendre rapidement, regardez rapidement et ça presse, c'est du *hot-stock*. Ça vaut dans la soixantaine de dollars et je vous le fais pour quinze et regardez en arrière, c'est du dix carats." Les ventes se font très rapidement et je réussis à tout écouler en un temps record. Pendant ce temps-là, les baraques de montres mènent un train d'enfer!

* * *

L'hiver approche. Je lâche la vente sans hésitation. Mais que faire? Il y a quelque chose qui me trouble l'esprit depuis quelque temps. C'est une boutique de chaussures que je meurs d'envie de dévaliser. J'ai promis que plus jamais je ne volerais, mais c'est plus fort que moi. Je me sens tout serré entre ma décision et mon goût de recommencer, à tel point que ça me rend terriblement malheureux. Alors je règle rondement l'affaire. J'appelle la police: "Monsieur, je refuse de me nommer, mais je vous avise qu'il y a quelqu'un qui veut perpétrer un vol par effraction rue Berri, au numéro 2015. Le coup devrait se faire très bientôt." Je ferme la ligne. Je me sens très soulagé, tout à fait satisfait.

J'attends une semaine et je vais glisser sous la porte du magasin cette petite note: "Tu devrais te munir d'un système d'alarme, sinon nous allons revenir une certaine nuit et nous allons te vider la place. Exécute-toi et ça presse, c'est très tentant ton affaire."

Cette histoire de vol de chaussures est réglée: la direction, suite à ma lettre, se gouverne en conséquence. Maintenant, je me sens bien.

Un jour, un client qui est en train de se faire trimer les cheveux par Bernard m'appelle: "Le grand, viens ici, t'as déjà fait du pen, toi, je crois?

— Oui, mais comment ça se fait que tu me connais?

— Ben un jour je suis venu ici et j'ai vu ta valise et j'en ai une pareille.

— Ah bon!

— Est-ce que ça te tente de toucher quelque chose?

— Ça dépend quoi? Vas-y, je t'écoute.

— Je connais une dame qui travaille pas loin d'où je suis et je te dis qu'à tous les vendredis avant-midi, presqu'à heure fixe, elle se rend à la banque pour y faire le dépôt. Ça fait longtemps que je la surveille et j'ai étudié toute l'affaire, c'est un coup très facile à faire. Elle n'est pas armée et toute sa valise c'est du comptant, et pis je te dis que tu ne frapperas pas en bas de cinq mille feuilles.

— Toi, combien tu charges pour le tuyau?

— Tu me donnes un deux mille de commission.

— Bon, et la vieille, il faut lui faire la passe de quelle façon?

— Tu vas l'assommer et je vais te montrer comment la frapper sans la tuer.

— Bon, j'y pense, et je te revois ce soir. Mais toi, pourquoi ne veux-tu pas faire le coup?

— C'est parce que je suis *leage*. Je suis sur caution et en surveillance.

— Alors je te revois ce soir, à quel endroit?

— Tu te rends à l'Étoile du Sud et tu demandes Henri."

Ouais, mon homme, il a un visage qui en dit long sur sa vie. J'ai l'esprit qui me balotte maintenant. Je ne sais plus si je dois capituler ou embarquer.

"Qu'est-ce que tu en penses Bernard?

— Marcel, ça te regarde, à toi de te décider. Mais tu sais que c'est un petit jeu dangereux. Tu sais ce que tu as à faire, moi je n'ai plus rien à dire."

J'arrête pas d'y penser. Je ne peux m'empêcher de peser le pour et le contre. Si ça rate, on m'accusera de vol avec violence et c'est un crime qui coûte cher. Et qui me dit que je ne tuerai pas la vieille en tentant de la maîtriser? Si je frappe une mère de famille, ou si je frappe une veuve qui travaille pour gagner la vie de sa famille, comment vais-je réagir? J'aurai, en plus de ma peine, quelque chose de très lourd sur la conscience. Cent fois non, je ne touche pas. J'ai promis et je tiens parole, non pas pour faire plaisir à Bernard ou à ma tante, non pas parce que j'ai peur, mais parce que je ne puis me parjurer moi-même.

"Bernard, j'ai réfléchi: je ne touche pas à cette affaire.

— Marcel, regarde le journal de ce matin, celui d'hier, et tu liras celui de demain. Regarde comment ça finit toutes ces histoires. De toute façon, je savais bien que tu ne marcherais pas. Tu es un grand révolté, mais tu n'as toujours pas la corde du coeur qui te traîne dans la merde et puis, je suis encore plus certain que tu n'es pas méchant." J'ai l'âme et le coeur en paix. Je me sens tout fier de moi. Je me dis que je mérite vraiment une récompense. Et si je me trouvais une amie, quelqu'un de doux et de tendre à qui je pourrais parler. Quelqu'un qui m'appartiendrait.

Je vais voir ma tante Julie, c'est la seule femme avec laquelle je me sens bien et je lui dis que j'aimerais bien trouver l'âme sœur. "C'est pas possible, ma tante, il doit sûrement y avoir une fille qui traîne quelque part pour moi. Il y en a sûrement une qui, comme moi, doit ressentir un besoin de s'exprimer, mais où la trouver? Pourtant, bon Dieu de Sorel, je n'ai pas les yeux croches et je ne suis pas un mongol qui marche à batteries.

— Marcel, je te dis que t'es pas prêt encore à rencontrer une fille. T'es pas mûr encore. T'es encore un grand bébé, t'as encore ta peau de lait.

— Maintenant, c'est vous qui charriez, ma tante."

Je décide de déménager une autre fois. Au rythme où je vais, j'aurai bientôt habité toutes les rues avoisinant le salon de Bernard. Je ne sais plus où me garocher. Je ne sais plus comment vivre pour être bien. Je ne sais absolument pas quoi faire pour être heureux et me sentir bien dans ma peau. Et toujours pas d'amies à l'horizon. Ça va mal. Ça va terriblement mal dans ma tête. Je suis absolument incapable de me détacher du passé. Pire encore, à chaque fois que je m'adresse à une femme et que celle-ci me parle comme du monde, je pense toujours à ma mère. À chaque fois que je démêle mes bas et que j'en vois un qui est troué, ça me rappelle quand je reprisais les bas de la famille. Je prenais soit une ampoule, soit un champignon de bois et je reprisais avec une grosse aiguille à laine. J'avais différentes couleurs et différentes grosseurs de laine et je faisais mon travail en croisé sans laisser aucun "motton". Sinon, je reprenais tout le travail avec une claque sur la gueule. "C'est pas comme ça que je t'ai appris à travailler, tête de cochon, c'est comme ça." Je devais me surveiller pour ne pas pleurer car les larmes obstruaient ma vue. Jamais je ne repriserai mes bas lorsqu'ils seront troués; ils iront droit à la poubelle.

Il est tard et je suis incapable de dormir. Je voudrais bien fermer la porte de ma chambre, mais j'ai beaucoup trop peur. En plus, il y a une fille au bout du passage qui reçoit ses chums et ils font un train d'enfer. Vas-y Marcel, laisse-toi aller, vide-toi de tout ton passé, fouille, fouille encore et vas-y, pleure, ça fait tellement de bien, rêve, Marcel. Lâche tout. Ensuite tu vas te sentir mieux.

* * *

Je ferme les yeux et je vois les petits oiseaux qui sautent d'une branche à l'autre dans l'arbre qui est devant la maison. De quoi peuvent-ils bien se nourrir, ces petits oiseaux? Ils sont tout excités. Ils vont et viennent, sans repos. Tout à coup, ils disparaissent presque tous en même temps, puis il reviennent. Mais qu'est-ce qu'ils peuvent bien manger, bon Dieu? Je veux savoir. Je casse une branche avec les dents et je l'ouvre dans le sens de la longueur. Il y a, au centre, une petite veine blanche. J'y goûte à plusieurs reprises; ça ressemble à de l'amande. J'ouvre quelques branches et les place à la vue des oiseaux.

Nous avons un locataire qui se chauffe au bois. À tous les automnes, il corde son bois à l'extérieur. Je veux savoir pourquoi. Je vais le voir et lui demande: "Monsieur, qu'est-ce que vous allez faire avec tout ce bois?

— On va le brûler, mon Ti-Pit.

— Mais est-ce que vous allez le faire cuire dans de l'eau pour le manger?

— Oh non, on jette le bois au feu pour chauffer la maison, ce n'est pas pour le manger.

Il prend sa hache pour ouvrir une grosse bûche. Découragé, je laisse tomber mes questions et je m'éloigne de lui. Il m'a menti, s'il fend le bois, c'est parce qu'il veut le manger. Je suis en maudit après lui et je m'en vais pour ne plus avoir affaire à ce menteur. C'est comme si je n'avais pas le droit de savoir la vérité. Y a rien de honteux à dire qu'on fait bouillir du bois pour le manger. C'est à croire qu'on brûle le bois pour chauffer les maisons, jamais je ne croirai une histoire pareille! Je cours à la maison afin de demander à ma mère de me dire la vérité. Elle me répond: "Marche-t'en dehors toi et viens donc pas m'achaler avec tes niaiseries." Je l'ai dérangée dans sa chanson; elle berçait le petit bébé en chantant: "C'est la poulette grise qui a pond dans l'église..."

J'attends qu'il fasse nuit et que le locataire soit rentré dans son gîte. Puis, à toute vitesse, je vais voler une bûche et je me cache derrière la maison pour la manger. Je trouve le bois amer, méchant au goût et très sec. Mais c'est normal, il n'est pas cuit. Je vole une dizaine d'autres bûches que je cache près de l'escalier de chez nous et j'attends mon père. Je les lui donnerai dès qu'il rentrera du travail. Il arrive. Je l'entraîne par la main et lui montre ce que j'ai amassé pour lui. Je suis très fier. "Va me reporter ça où tu l'as pris, pis entre te mettre à genoux cinq minutes dans le coin, ça t'apprendra à toucher à ce qui ne t'appartient pas." J'entre dans la maison l'air piteux, afin d'aller purger ma peine. Je ne comprends plus rien. "Qu'est-ce que tu fais là, toi?

— C'est papa qui m'a envoyé me mettre à genoux.

— Pourquoi?

— Parce que j'ai pris le bois du voisin.

— Que je te revoie donc toucher aux affaires des autres, toi. La prochaine fois tu vas baisser tes culottes."

Cette nuit me paraît sans fin. Bientôt ce sera le jour et je n'aurai pas réussi à fermer l'oeil.

Un dimanche après-midi, après avoir fini de gratter les doigts à papa, il me dit: "Va te chercher une galette dans l'armoire comme récompense et viens la manger ici.

— Merci, papa." Je prends un biscuit *Goglu*, et je mords dedans.

— Qui est-ce qui fouille dans les armoires, là?

— C'est moi, maman, papa m'a dit de venir me chercher une galette.

— Toi, je t'ai dit que tu n'avais pas de dessert de la semaine, mets-ça là et va-t'en dans ton coin et pis qu'est-ce que t'as dans la gueule?

— C'est un morceau de biscuit.

— Va jeter ça immédiatement dans la toilette.''

* * *

Le jour vient de se lever. Je n'ai pas fermé l'oeil. Putain de vie. La fille continue à entrer et à sortir de l'édifice sans se soucier de rien. Elle a passé la nuit à entrer et à sortir. "Hé toi, tu veux bien me dire ce que tu viens faire ici à tout instant. T'es pas tannée de claquer la porte, espèce de jeune donzelle?

— Ça, c'est pas tes affaires.

— Eh bien, moi je te dis de ne plus revenir sinon je te sortirai à coups de pied au cul. C'est d'accord?''

Je ne sais pas si c'est d'accord, mais en tous cas, elle s'en va.

J'entends des bruits de pas. Pas d'erreur, ça s'en vient vers ma chambre. La porte est ouverte, pas besoin de la forcer. J'en compte sept qui font le tour de mon lit: six jeunes blancs-becs et la demoiselle que j'ai mise à la porte. Je m'assieds. "Qu'est-ce que vous me voulez tous?

Le leader de la bande prend la parole.

— Écoute, le grand. Nous autres ici on fait du commerce et tu vas nous ficher la paix, sinon il va t'arriver malheur. Si t'es pas content, tu fermes ta porte de chambre, t'as compris?

— Écoute,...

— Non, tu fermes ta gueule et tu laisses tomber tout de suite et tu t'organises pour nous ficher la paix, sinon on va faire deux petits bonhommes de toi. Salut!''

Je suis fou de colère. Je saute dans mon pantalon, j'enfile mes grosses bottes et ma chemise de flanelle. Ensuite j'ouvre le tiroir et je saisis mon "instrument opératoire": un manche à balai de quatre pouces. Je le place sous mon aisselle droite parce que moi je cogne de la gauche. Je connais le repère de ces passeurs de drogue et j'y vais.

Je grimpe les marches quatre à quatre. Je vois des jeunes qui se bécottent sans se soucier de ma présence. Je leur lâche un cri afin d'attirer leur attention: "Faites l'amour et pas la guerre! Je veux voir tout de suite votre leader." Le voilà qui arrive; il devient blanc comme un drap en m'apercevant: "Qu'est-ce que tu me veux le grand?

— Écoute, chum, j'ai affaire à te parler en privé et je t'invite dehors.

— C'est d'accord, on y va."

Je l'attire au fond de la ruelle; il fait très noir, je suis certain que personne n'entendra quoi que se soit. Je tiens solidement mon "instrument" dans ma main gauche. Il s'approche de moi. "Allez, mon pissou, approche-toi, approche, approche encore. Tu vois ce que j'ai ici, regarde comme c'est piquant. Maintenant, écoute mon salaud. Pour te débarrasser de moi, il faudra me tuer et je te prie d'aviser ta suite de ne pas me manquer car, un jour, je te retrouverai et je t'arracherai les deux yeux. Tu ne reverras plus jamais le soleil de ta vie et tu ne pourras plus jamais m'identifier. T'as bien compris?

— C'est ben correct le grand, c'est compris, mais fais attention à toi car moi, il y a toujours quelqu'un qui me suit." Je lui donne un coup de tête et je vois venir dans la ruelle deux gars de la bande. Alors je laisse tomber, j'ai dit ce que j'avais à dire. Par la suite, nous sommes devenus deux grands amis. Il me procure de la drogue en échange de rien du tout. Un jour, mon nouvel ami me remet un "dime". Je le prends et en ressent bientôt les effets bénéfiques. Je me précipite au quadrilatère Davidson-Hochelaga, où j'ai décidé de contrôler la circulation. C'est tout un spectacle. Les automobilistes sont surpris mais aucun ne me passe sur le corps. On entend les grincements de pneus et les coups de klaxon à trois rues à la

215

ronde. Je distribue généreusement coups de pied et coups de genoux à ceux qui tentent de me maîtriser. Tout se termine dans un calme relatif grâce à l'aimable intervention de la police. Et je me retrouve au poste le lendemain matin, frais et dispos.

Mais ma nervosité ne m'a pas quitté pour autant. Je viens de m'en prendre sévèrement à Bernard qui a pris le parti de quelqu'un que je n'aime pas. "Toi, tu sors d'ici et je ne veux plus te revoir dans mon commerce, sinon c'est moi qui va te sortir.

— C'est d'accord, je te garoche ta clef en pleine face et je t'attends à la sortie à cinq heures. Je te promets que je vais te faire la passe du cochon qui tousse."

Cinq heures arrive et je lui saute dessus. Je lui donne une jambette et il tombe à la renverse sur le trottoir. Il y a un de ses employés qui voit la scène et qui a en main deux bouts de bâton reliés à une chaîne. Il veut m'étouffer mais quelqu'un d'autre s'en mêle. La police arrive en trombe. Aucune charge ne sera portée contre nous. On m'oblige à circuler.

J'entre au dépanneur pour acheter une pinte de lait. Il me manque un sou noir et le marchand refuse de me faire crédit. Je prends la pinte de lait quand même et je file. Je rentre chez moi en tremblant de rage. La soirée se passe sans que je sois capable de me calmer. Tous ceux qui nous connaissent moi et Bernard me demandent pourquoi j'ai fait ça. Je n'ai pas de compte à rendre à personne. Avant de m'endormir, je me promets que demain j'irai le voir. J'irai peut-être m'excuser. Je regrette amèrement mon geste mais je crois qu'il est trop tard. Le mal est fait. Maintenant tout est fini entre Bernard et moi. Je n'arrive pas à y croire. Je me retrouve seul. Il me semble que plus personne ne voudra de mon amitié. S'il refuse d'accepter mes excuses, s'il refuse de me voir, que vais-je devenir? Alors Marcel, il ne te restera qu'à le tuer. Oui, le tuer. Mais tu sais que ça va te coûter une vie au pen et une vie c'est très long. Tant pis. Si Bernard refuse de me rencontrer, c'est fini pour lui. J'avale une très forte quantité de cognac pour pouvoir dormir. Je rêve que je suis dans une très grande cellule avec plusieurs détenus. Un gardien vient me voir et me dit que je serai bientôt condamné. "Mais quel crime ai-je commis, monsieur l'officier?

— Je n'ai le droit de rien dire, nous sommes liés par le secret professionnel."

Je marche encore, je fais des milliers de pas. Presque tout le monde a comparu et je me retrouve encore ici. On ne peut m'accuser, je suis certain de n'avoir rien fait de mal. La grande porte à barreaux s'ouvre. Elle est solidement gardée par deux gardiens qui ont l'air de monstres. On m'appelle et j'obéis à l'ordre. "Est-ce que je vais comparaître maintenant? Je n'en peux plus d'attendre.

— C'est fait, monsieur, tout est réglé. Vous n'avez pas besoin de comparaître, le juge vous a condamné à cinq ans.

— Mais pourquoi? Pourquoi?" On veut m'amener au panier à salade et je me débats comme un diable dans l'eau bénite. "Pourquoi? Dites-moi pourquoi?" Je crie de toutes mes forces. C'est pas vrai, je n'ai rien fait. Ce n'est pas moi." Je m'éveille tout trempé. Le coeur me bat très fort et je suis essoufflé. Il me reste à peine assez de force pour bouger. C'en est fait de ma nuit de sommeil. Ça fait quatre ans que je suis sorti du pen et je me sens encore emprisonné. Je me sens coupable de tout. Je m'accuse de tous les péchés du monde. Je pense à cette violence dont j'ai fait usage. La violence, c'est ma loi. Je l'applique telle qu'elle m'a été enseignée par mes parents et mes éducateurs. Il leur a été bien plus facile de me condamner que de chercher à comprendre par quel cheminement évident, moi qui était né semblable aux autres et nanti des mêmes droits, j'étais devenu ce hors-la-loi. Coupable! Qui est coupable? Ceux qui m'ont appris la haine? Ceux qui m'ont rejeté, repoussé, traité de charognard? Ceux qui m'ont laissé grandir dans la honte et le désespoir?

Je fais mes excuses à Bernard. Mais notre amitié ne sera plus jamais aussi solide. Il restera toujours un petit froid entre nous deux. Bernard m'a pardonné, mais il n'a jamais oublié. C'est comme s'il n'avait pas le droit. C'est peut-être mieux pour moi, je m'éloigne de lui petit à petit. Je le vois moins souvent et deviens plus indépendant.

Il faut que je rencontre une fille. J'en veux une à moi tout seul. Et j'irai la présenter à ma tante Julie. Je veux rencontrer une fille qui va m'aider à me faire une place dans cette société. Elle sera ma mère, ma maîtresse, mon amie, ma confidente, ma femme. Ma recherche commence. Je suis certain qu'il y a une fille quelque part qui m'attend.

Ma première amie, je la rencontre dans la pâtisserie où elle travaille. Chaque fois que je lave les vitres de ce commerce, c'est elle qui me paie. Un jour qu'elle est seule, j'en profite pour lui parler. Je la trouve jolie, sympathique et très distinguée. Il y a quelque chose qui me dit que c'est une fille seule; en tous cas, elle ne porte pas d'alliance. Il n'y a pas grand chose de génial à se parler de la pluie et du beau temps, mais je ne trouve pas mieux. Je sens qu'elle veut me dire quelque chose mais qu'elle hésite à parler. Elle me fait visiter l'arrière du magasin. Tout l'attirail du parfait pâtissier s'y trouve: il y a d'immenses casseroles et un gros moulin qui sert à faire le pain. "Mais toi, est-ce que tu fais la pâtisserie avec la patronne?

— Bien sûr, viens voir. C'est moi qui fait les petites pâtisseries.

— Et c'est toi qui les décore?

— Oui.

— Franchement tu fais un beau travail, tu connais ton affaire.

— Tiens, je t'en donne une, goûte. Toutes mes pâtisseries je les fais pour des étrangers, pour des gens que je ne connais pas, mais je rêve d'en faire un jour à un homme que j'aurais à moi toute seule."

Voilà ma chance! Mes oreilles n'ont jamais entendu une si douce musique! Tu te vois, Marcel, appartenant à une femme? C'est-y possible! Oui, c'est possible mais laisse-la parler, écoute encore. Ses paroles me vont droit au coeur. Je la regarde droit dans les yeux et je lui dis: "J'aimerais ça qu'on se revoie, je crois qu'on pourrait devenir d'excellents amis. Je suis célibataire et je n'ai personne avec qui partager...

— Attends Marcel, ne va pas trop vite. Je ne voudrais pas que tu t'attaches à moi car je ne suis pas seule. Je suis franche et je te le dis tout de suite car je ne veux pas te faire perdre ton temps."

C'est trop tard, c'est mon amour et je l'aime déjà et profondément. "Il y a quelqu'un qui partage ta vie?

— Il y a ma mère, et le reste je te le dirai lorsque tu reviendras me voir.

— C'est d'accord. Je vais travailler et on se revoit la semaine prochaine."

Me voilà en amour par dessus la tête. Oh, que je me sens bien! On dirait que le monde n'est plus le même! Je me sens tout transformé! C'est du jamais vécu! J'ai peine à y croire. Une fille qui attend quelque chose de moi!

Le mercredi suivant, je retourne faire les vitres à la pâtisserie. Mon travail terminé, je vais me faire payer et je me retrouve seul avec mon amie. Je suis tellement heureux de me trouver en douce compagnie que j'en tremble. "Tu vas me dire quelle est cette personne qui occupe une place dans ta vie?

— Oui, je vais te le dire. Un jour j'ai eu une malchance, j'ai vécu une mauvaise aventure avec un garçon et il m'a fait un bébé.

— Alors t'es une fille-mère?

— Oui, j'ai un garçon de quatorze mois.

— Bien, je n'en demandais pas tant. J'en suis fou des enfants et je les aime tous. Maintenant j'en aurai un à moi."

Nous nous rencontrons à plusieurs reprises chez elle et son petit garçon, je l'adore. Mais un soir, la mère de mon amie se mêle de notre conversation. D'après elle, je ne suis pas le mari qu'il faut à sa fille parce que je n'ai pas de métier stable, je n'ai pas d'auto et rien comme ameublement. Au fond, elle a raison, la vieille rôtie.

Avec les jours qui passent, je me rends compte que j'aime beaucoup plus le petit garçon que la fille. Je l'aurais bien mariée, mais ç'aurait été pour l'enfant. Ce petit enfant, c'était devenu ma raison de vivre. Mais la vieille a réussi à nous séparer. Quelle peine j'ai eu! Le petit garçon, je le voyais partout. Mais c'est peut-être mieux ainsi. Je n'aurais sans doute pas été capable de l'élever.

Je décide de me lancer dans les affaires sous le nom et raison sociale de: "Les Services Ménagers Marcel Enr.". Je fais du lavage de vitres, murs et plafonds. J'achète des vieux meubles, absolument n'importe quoi, vieilles laveuses, sécheuses et j'en fais la revente dans mon appartement. J'ai quatre annonces qui passent tous les jours dans quatre quotidiens. J'ai quatre téléphones d'affaires. Je me fais imprimer du papier à lettres à en-tête et des enveloppes; le nom de ma firme est écrit sur mon auto. Je fais distribuer aux portes plusieurs milliers de prospectus. Je m'en fous de me faire mourir à l'ouvrage, et, pour l'instant, il n'y a pas de place dans ma vie pour les filles.

Le soir et les fins de semaine, je prends l'annuaire de Montréal et, en suivant l'ordre alphabétique, j'envoie une lettre pour offrir mes services. Je suis à bout de nerfs, je ne dors presque pas et me nourris très mal. Je dîne à trois heures et je soupe à neuf. Ma saucisse au lard, je la mange crue. À chaque fois que je vais au restaurant, je demande du bacon saignant. La serveuse me répond: "Saignant?

— Oui, mademoiselle.

— On n'a jamais vu ça.

— Ben là vous allez le voir.

Y a pire que ça, maintenant je le mange cru. À chaque fois que je vais chercher du boeuf haché chez l'épicier, la demoiselle à la caisse regarde la grosseur du contenant et s'esclaffe. Mon estomac me fait terriblement souffrir. Impossible de dormir sur le dos. Je fais la planche deux minutes et ça me brûle comme du feu entre l'oesophage et le sternum. J'essaie de dormir tantôt sur le côté gauche, tantôt sur le côté droit, mais ma nuit est entrecoupée de violents malaises.

Les affaires ne vont pas aussi bien que je le voudrais et j'ai la ville de Montréal aux trousses parce que je n'ai pas de permis d'opérer. Les factures n'arrêtent pas de rentrer. J'aurais dû acheter un 38 pour faire peur au facteur. C'est maintenant l'homme que je déteste le plus. À chaque fois que j'entends ouvrir la porte d'entrée de l'immeuble, on dirait que ma respiration s'arrête. Mais c'est vrai que j'ai beaucoup trop acheté. Mon appartement est bourré à pleine capacité et dans la cuisine il y a deux laveuses qui pissent l'eau. Je pourrais peut-être les vendre comme passoires.

Je retourne voir une vieille connaissance, mademoiselle Létourneau. "Ah ben diable! C'est toi Marcel, je te pensais en dedans, à moins que tu viennes de sortir.

— Non, non, je sors d'une sale histoire, mais pas de la prison, allons donc.

— Qu'est-ce qui t'amène?

— Écoutez mademoiselle, je sais que vous avez trois garages, vous pourriez m'en louer un?

— C'est pourquoi?

— C'est pour entreposer du matériel, des meubles et autres bébelles. Je veux bricoler là-dedans.

— As-tu de l'argent pour me payer?

— C'est combien?

— C'est vingt dollars par mois. Le garage est chauffé et éclairé.

— Je vous promets que je vous paierai et si je n'y arrive pas, je vous ferai des travaux pour compenser.''

Tu parles d'une place pour entreposer. Le garage est grand comme ma gueule, la couverture pisse l'eau et le radiateur laisse échapper de longs filets d'eau. Ça me tente de le frotter à la brosse d'acier mais peut-être qu'il tient juste par la rouille ou bien à la grâce de Dieu. Malgré tout cet inconfort, cet endroit est presque devenu ma demeure. J'y passe la majeure partie de mon temps et je ne rentre chez moi que vers les trois heures du matin.

Le soir, j'occupe la majeure partie de mon temps à étudier l'électronique et je fabrique dans mon garage plusieurs enceintes acoustiques de toutes sortes à titre d'expériences personnelles. J'ai un seul but en tête et je l'atteindrai. Je veux me monter une super disco-mobile. Je fabrique une énorme boîte et j'y fais pénétrer, par le haut, deux gros *Waferdale* de type "suspension à air" dont la résonnance est de soixante cycles. Je place dans chacun des cônes une pièce de monnaie de vingt-cinq sous et avec un peu de chance et un peu de volume je réussirai sûrement, par la magie de la compression de l'air, à faire sortir les pièces de monnaie. L'attente n'est pas longue et les pièces de monnaie se mettent à danser sous l'agitation des cônes.

Au fur et à mesure que j'avance dans mes études et mes recherches, je découvre qu'il m'en coûtera une petite fortune pour satisfaire mes exigences. Mais rien ne m'arrête. Je m'inscris même à la ville de Montréal afin de suivre des cours d'animation sociale.

Huit longs mois de travail et d'économie me sont nécessaires pour me procurer l'équipement indispensable. Avec l'aide de mes amis, je réussis à installer mes appareils dans le sous-sol d'une église paroissiale, et, tous les samedis soirs, je fais de la musique à raison de cent dollars la soirée. Aussitôt que je touche de l'argent, je m'en sers pour perfectionner mon installation. Mon frigidaire est complètement vide ainsi que mes armoires. Tout ce qu'il me reste, c'est une boîte de soupe alphabet. Je n'ai plus un sou et je suis dans l'obligation de quêter de l'argent à Bernard.

À chaque moment de loisir, j'épluche les journaux à la recherche de l'âme soeur. Il y a beaucoup d'annonces. Ce n'est pas le choix qui manque. Il y a des divorcées avec ou sans enfants, il y a des filles-mères, il y en a qui se cherchent un homme dans un "but sérieux": c'est mauvais pour moi; le mariage, c'est trop définitif. "Homme, belle éducation": c'est rayé, je suis mal éduqué, c'est pas une éducation que j'ai reçue. "Homme belle apparence": oublions ça. "Homme possédant bon emploi": je suis instable et jamais je ne ferai du huit à cinq. Je ne suis pas un robot. "Fille célibataire cherche homme pour fonder un foyer": et puis quoi encore? Il y a une femme médecin, une femme notaire et une avocate qui désirent rencontrer quelqu'un. Là non plus je ne trouve pas mon compte. Mais pourquoi ne pas aller voir les deux dames propriétaires de l'agence? Je prends rendez-vous.

Arrivé à la porte de l'édifice, j'ai tout à coup des peurs. Peur de ne pas être à la hauteur, peur d'être lu, d'être découvert; je m'accuse presque de vouloir acheter l'amour d'une personne du sexe opposé. Tant pis, j'ai décidé de me battre pour connaître l'amour et je prendrai les moyens nécessaires pour trouver la personne qui me convient.

J'entre dans l'étroit bureau, je me sens très mal à l'aise en face des deux dames propriétaires de l'agence. "Dites-nous ce que vous recherchez au juste. Vous avez lu nos annonces et vous ne trouvez rien. Nous contrôlons étroitement notre affaire et tous nos clients et clientes sont sérieux. Vous pourrez choisir deux numéros pour cinq dollars. Mais nous ne pouvons vous garantir que vous trouverez la femme idéale. Ou alors vous faites passer une annonce dans nos journaux et ça vous coûtera cinq dollars pour une parution. Ensuite, vous attendrez que quelqu'un entre en communication avec vous, soit par courrier, soit par téléphone. Regardez, nous avons ici quelques inscriptions que nous ferons paraître prochainement. Vous pouvez jeter un coup d'oeil. Si vous cherchez une fille juste pour le plaisir, nous n'en avons pas.

— Ah non mesdames!, ce n'est pas ce que je cherche. Tenez, prenez ces cinq dollars. Moi, je vais réfléchir et je reviendrai vous voir sous peu."

Je sors du bureau complètement vidé. Je suis plus fatigué que si j'avais fait du pic et de la pelle pendant une journée entière. C'est pognant et c'est gênant jusqu'aux tripes de se retrouver assis devant deux dames à la recherche d'une personne de leur sexe.

Je retourne à l'agence une deuxième fois, puis une troisième et une quatrième. Nous sommes devenus de bons amis. J'ai déjà payé quinze dollars et je n'ai fait aucune connaissance, mais je me suis solidement fait connaître des deux femmes. J'ai pris tout mon temps et maintenant nous entretenons tous trois d'amicales conversations. J'offre aux dames de repeindre leur bureau et de le tapisser à un prix forfaitaire. "Non, monsieur, ce n'est pas la peine, me répond l'une d'elle, mais vous avez un grand coeur, vous savez être reconnaissant, vous êtes généreux, vous êtes sûrement très adroit et vous aimez la musique, vous avez quelque chose dans vos mains. Vous aimez parler, vous aimez le dialogue, je vous trouve très franc, vous avez une belle personnalité et vous êtes un homme sérieux. Mais, à la blague, je vous dis que vous n'êtes pas un homme reposant, vous êtes trop agité. Vous semblez avoir de l'énergie à revendre; je n'ai jamais vu ça depuis que je suis courriériste. Depuis que je vous connais, vous m'avez parlé de votre enfance, de votre jeunesse, de votre famille, de vos parents et de votre temps passé en prison. Vous devriez faire une croix, une énorme croix sur votre vécu. Je sais que ce n'est pas facile mais vous devriez essayer. Vous vous sentirez tellement mieux. Recommencez à zéro une fois pour toutes. Vous avez du talent, vous êtes intelligent, vous avez du potentiel, vous êtes capable de vous rendre aimable, alors ne détruisez pas votre existence à cause de votre passé. Vous voulez être heureux et je le sais. Il n'y a personne, ni homme, ni femme qui s'est déplacé autant de fois que vous pour venir ici. Nous avons rencontré des jeunes filles et des jeunes hommes qui ont vécu une enfance plus terrible que la vôtre. Il y en a qui ne s'en sortiront probablement jamais. De vraies loques humaines. Ne faites pas comme eux, ayez confiance en l'avenir et un jour vous serez un homme heureux et vous viendrez nous présenter votre amie.''

Trois longues semaines se sont écoulées depuis ma dernière visite, lorsque je reçois un appel: ''Venez me voir. J'ai quelque chose pour vous.

— Mais qu'est-ce que c'est? Ce n'est pas un bureau de poste chez vous! Auriez-vous reçu une fille enveloppée dans un paquet adressé à mon nom?

— Je ne vous dis rien de plus, venez me voir.'' Je me précipite. On me remet trois lettres que je dévore.

La demoiselle est du même âge que moi, elle travaille, possède son auto et demeure avec ses parents dans la petite ville de Chambly. Tout ce que je recherche chez une fille c'est qu'elle ait bon caractère, une nature plaisante, qu'elle soit franche, qu'elle ait un esprit de gaieté et qu'elle soit vraiment humaine. Je ne mise pas sur la beauté d'une femme, ça me fait peur. Je ne veux pas une fille qui se tourmente au sujet de sa beauté. Je ne veux pas d'une obsédée qui se laisse emporter par les modes modernes, d'une fille qui ne cherche qu'à se transformer ou se masquer. Je ne mise que sur la beauté de l'esprit et la bonté du coeur, voilà. Que ma partenaire soit grande, petite, grassette ou autrement, je m'en fous.

Je prends rendez-vous avec la demoiselle. Nous nous rencontrerons samedi. Du même coup, je ferai la connaissance de ses parents.

Nous sommes assis côte à côte sur un divan, très proches l'un de l'autre. Je la trouve très jolie, la demoiselle, et surtout très distinguée; son regard est reposant. Mais que se dire en présence des parents qui sont assis devant nous sur leurs chaises berçantes? ''Vous ne trouvez pas qu'on a l'air de deux collégiens, monsieur, dame?'' Et la fille de sourire tandis que la mère me répond d'un ton sec: ''Toi, j'espère que tu ne vas pas m'enlever mon poteau de vieillesse.''

Chaque samedi soir, je l'invite chez moi. J'allume les chandeliers qui se trouvent sur chacune des deux tables de chevet. Nous écoutons des disques et je me sens régulièrement coincé entre deux désirs: celui de faire l'amour et celui d'écouter de la musique.

Un jour, elle me demande à quoi je pense. Je me redresse légèrement et lui dis: "Je ne pense à rien, je m'imaginais qu'il y avait vraiment quelqu'un au-dessus de nous en train de nous jouer de la harpe.

— Allons mon noir, il est dix heures. Il faut que je pense à rentrer à la maison car ma mère va piquer une crise si je tarde trop. On va prendre le café chez moi pour éviter une méchante discussion."

Nous nous appelons deux ou trois fois par semaine. Faire l'amour devient rapidement un jeu stupide, machinal. Puis c'est le coup de grâce, je reste devant elle comme un pantin détraqué. Je lui déclare qu'une femme ne peut m'inspirer la tendresse et encore moins l'affection. "Il te faudra bien oublier un jour ta mère et ta soeur, mon noir", me dit-elle.

Je décide de lâcher prise avant que ça fasse mal. Je sens que je ne serai jamais heureux avec cette demoiselle. Mieux vaut tout oublier.

Je retourne rencontrer les deux dames propriétaires de l'agence et leur parle de ma rencontre. "Marcel, nous ne t'avons pas promis le grand amour, c'est à toi de faire ton choix et de mettre les chances de ton bord. Tu vas trouver, j'en suis certaine.

Ça y est, je l'ai trouvée. Mais tout seul. Elle s'appelle Charlotte, demeure à Sherbrooke et, comme on le sait, c'est un coin que je connais très bien et où je désire retourner vivre. Aussi, je ne traîne pas à prendre ma décision. Je fais mes adieux à mes amis et à ma tante Julie et en route.

Pendant le trajet qui nous sépare des deux villes, la peur s'empare de moi. On dirait que plus j'approche de ma ville, plus je revis mon passé. On dirait qu'il m'est garoché en pleine face, c'est comme si je n'avais plus le droit d'aller y vivre. J'en viens même à oublier que je ne suis plus seul maintenant. Charlotte est obligé de me le rappeler plusieurs fois. "Un jour, je te dirai tout, absolument tout et j'espère que tu sauras m'écouter", lui dis-je.

Nous arrivons. Après qu'on se soit installés, je vais marcher dans la rue où se trouve l'édifice des A.A. Les souvenirs remontent à la surface. Durant le temps des fêtes, ils m'avaient demandé d'aller porter de la nourriture à une famille très pauvre. Parmi les victuailles, il y avait un énorme pot rempli de spaghetti. J'ai déposé le tout sur la table et je me suis attardé à discuter avec les gens de la maison, qui vivaient dans une pauvreté extrême. Les enfants étaient sales et en loques. Mais que leur dire? Ils étaient d'une ignorance crasse et ne se rendaient compte de rien. Quelqu'un a ouvert le pot de spaghetti et l'a laissé sur la table. Je revois le gros matou, la tête plongée dans le récipient, en train de bouffer. Quelle misère! Ça me fait terriblement mal de revivre tout cela.

C'est la veille de Noël. Charlotte veut me présenter à ses parents. J'ai très peur, peur qu'on m'accuse de tout, qu'on me devine, qu'on me regarde. Je me sens dévalorisé, bon à rien. Mais j'accepte l'invitation et je la suis, caché derrière mes masques, mon or pur et mes diamants. Je suis bien décidé à détourner leur attention, à leur faire voir une des plus belles créations de l'orfèvrerie. Charlotte me dit: "Ma mère est aveugle depuis quinze ans." C'est bête, mais je me sens soulagé, beaucoup plus fort. Parce que, sans la connaître, j'ai peur d'elle. Je crains d'être incapable de m'en approcher. Je la vois comme si c'était ma mère. Une femme menteuse, hypocrite, injuste et d'une méchanceté extrême.

Je voudrais mourir tant je me sens mal près de cette table garnie. Il me semble que je n'y ai pas droit. Je suis tout en sueur. C'est comme si j'étais assis sur une caisse de dynamite. Rien n'accepte de passer dans mon oesophage; pouvu que je ne m'étouffe pas avec un morceau de viande! De quoi j'aurais l'air étouffé? C'est le repas le plus long de ma vie.

* * *

Voilà un bon bout de temps que nous vivons ensemble, Charlotte et moi. Tout est pour le mieux dans le meilleur des mondes. Maintenant que j'ai une femme à moi seul, elle va sûrement m'apprendre de grandes choses. Je ne veux pas la rendre malheureuse, je ne veux pas être méchant ni violent avec elle. Elle est devenue ma raison de vivre. Je l'observe, je m'intéresse à ce qu'elle pense et à ce qu'elle dit. Il n'y a rien de plus précieux pour moi que cette femme. Nous décidons de nous marier. Je vais unir ma destinée à celle que j'aime le plus au monde. Il y a entre nous une confiance mutuelle et il n'y a pas de place pour la rancoeur et la jalousie. J'admets que je devrai changer beaucoup. Nous sommes tellement différents l'un de l'autre et l'éducation que nous avons reçue n'est pas la même. Et puis, il va falloir que j'oublie cette soif maudite de vengeance. Je n'ai pas à changer le monde, c'est moi qui doit changer, moi seul.

Un jour, un septuagénaire m'appelle et me demande si je peux effectuer quelques réparations dans ses propriétés. Je le rencontre et il me propose d'acheter deux maisons. "C'est d'accord, lui dis-je, et, sans être prétentieux, je touche à tout.

— Combien tu donnes comptant?

— Pas un sou, je n'en ai pas.

— Ce sera difficile de faire des marchés si t'as pas d'argent.

— Je crois que c'est vrai.

— As-tu au moins assez d'argent pour payer le premier mois de loyer de tous les locataires?

— Ça fait combien en tout?

— Tu peux compter deux mille dollars.

— Non, je n'ai pas cette somme.

— Alors j'ai peur de te vendre sans aucun comptant, parce que lorsque tu auras fait la collection des neufs loyers, il n'y a rien qui m'assure que tu ne foutras pas le camp avec la somme." Je ne lâche pas prise, je crois que l'affaire est dans le sac, et j'arrive à le convaincre de mon honnêteté.

Je l'amène chez un ami notaire. Il n'en croit pas ses yeux: "En vingt ans de métier, Marcel, je n'ai jamais vu ça. Quelqu'un qui achète une propriété avec cinq sous dans ses poches, ça n'entre pas dans la normale des choses.

— Allons, allons, il n'y a rien de pas normal. Prépare tes papiers et compte tes minutes, j'arrive avec le vendeur." La convention est signée sur bail conventionnel. Maintenant je suis le plus fort. Enfin c'est moi le meilleur, c'est moi le gagnant. Je ferai mes propres lois et je ferai respecter l'autorité.

Je suis tellement convaincu que le bonheur se trouve dans l'argent que je continue ma course vers l'or blanc. Il y a une tabagie à vendre dans la région. Je n'ai aucun capital. Bien au contraire, j'ai une dette de six mille dollars contractée à l'achat d'une voiture. La tabagie appartient à un comptable, un ancien vérificateur d'impôt. Je le rencontre. "Combien ça vaut votre commerce?

— Je vais te vendre l'inventaire au prix coûtant, je ne te demande rien pour la clientèle et très peu pour l'ameublement.

— Alors c'est combien?

— C'est douze mille dollars.

— Bon, je suis intéressé mais je n'ai pas un sou en poche et si tu me finances le tout, j'achète.

— Non mais t'es fou? T'as pas un sou et tu veux acheter! Moi, je veux du comptant et il n'y a pas une seule banque qui acceptera de te prêter parce que pour obtenir douze mille, il leur faut douze mille en garantie.

— Non, non, attention c'est faux. Je prends une gageure avec toi que je décroche douze mille. Je vais monter le coup et je vais réussir."

Je multiplie les visites chez le gérant de banque. Tiens, j'obtiens la signature de ma femme. Eh hop! J'ai les douze mille.

Mon ami le notaire n'en revient pas et encore moins le comptable. On me demande si j'ai hypnotisé le gérant.

Mon attitude n'a pas changé. J'entretiens encore dans mon esprit les pires principes. Je ne tolère personne à flâner à l'intérieur de la tabagie. Je ne tolère aucun marchandage et je livre une guerre terrible à tous mes livreurs. La compagnie de transport d'autobus se plaint du mauvais service que je donne à la clientèle. Le propriétaire n'accepte plus que je lui paie mon loyer en argent sonnant, monsieur exige que je le paie par chèques. "Nous aimons nous faire payer par chèques, c'est moins de trouble pour nous autres.

— Mais c'est qui vous autres?

— C'est moi et mon associé.

— Alors tu prends ton argent et tu t'effaces rapidement, sinon j'appelle la police.

— C'est d'accord. Appelle."

J'ai à peine signalé le troisième numéro que tout à coup j'y pense. Je n'ai jamais eu besoin de la police pour régler mes comptes. Je lui saute dessus et je le pousse à travers la baie vitrée. Mais voilà l'arbitre qui s'en mêle: c'est ma femme qui s'est pendue à mon bras et qui me supplie de le lâcher. Par respect pour elle, je laisse tomber.

Cette fois, je me déniche une cantine. Au bout de trois semaines, la guerre éclate entre les livreurs et moi. Cette fois, j'ai un adversaire de taille, une compagnie de liqueurs très puissante. Je tiens absolument à m'approprier une énorme enseigne, ce que l'on me refuse, à moins de payer. "C'est non, je ne paierai rien. Je vends votre produit et vous me remettez l'enseigne lumineuse." Le patron de la compagnie s'amène: "C'est non, et si vous refusez de vendre nos produits comme vous le dites, moi je vous dis que dans deux semaines vous fermerez vos portes.

Entre-temps, quelqu'un me fait vivre ce que j'ai déjà, dans le passé, fait vivre à d'autres. Un après-midi, un policier se présente à la cantine. "Mais qu'est-ce que c'est que ce trou que vous avez dans le mur arrière?

— Bien, comme vous pouvez le constater, monsieur le constable, je suis en train d'effectuer des réparations.

— Je vois bien que ça a beaucoup changé à l'intérieur et à l'extérieur. Les inspecteurs de la ville ne s'y reconnaîtront plus lorsqu'ils entreront ici. Vous avez tout refait à neuf, c'est incroyable comme c'est beau.

— Monsieur l'agent, par chance que la bâtisse est solide car sûrement que les coquerelles l'auraient emmenée.Hier j'ai trouvé un rat mort sous une vieille tablette et croyez-moi, il n'est pas mort de faim. Il avait un collier de patates autour de la carcasse.

— Bon, et le trou dans le haut du mur arrière, qu'est-ce que vous en faites? Vous devriez le boucher, sinon vous risquez d'avoir la visite des voleurs.

— Allons monsieur l'agent, c'est impossible, il est tellement petit, c'est impossible de le traverser, vous ne croyez pas?

— C'est d'accord, mais je suis prêt à prendre une gageure; je vais aller chercher quelqu'un et je vais le faire passer par le trou.

— Bon, d'accord, je vais voir à ça rapidement." Il est fou cet agent, il rêve en couleur. Je ne me soucie guère de son avertissement.

À trois heures du matin, je reçois un coup de téléphone; c'est la police.On m'avise de me rendre sur les lieux de mon commerce. J'ai peine à y croire. Quelqu'un s'est enfilé par le trou. Mon voleur m'a surveillé. Il est allé chercher le sac d'argent qui se trouvait dans le beurrier à l'intérieur de la porte du réfrigérateur. Pour la première fois, je ressens ce que ça peut faire mal de se faire voler. On vient de me donner une terrible leçon, je dois l'admettre, cette fois j'aurais aimé être juge de paix.

La guerre menée contre la compagnie de boissons gazeuses m'a fait perdre beaucoup de plumes. Entre l'achat de mes maisons, celui de la tabagie et l'acquisition de la cantine, il n'y a pas eu de place pour un profond respir. Ma femme n'en peut plus de tous mes combats. Je suis en train de miner sa santé. Je ne pense plus à elle, je ne pense qu'à moi. Je sais pourtant que je n'ai pas le droit de la rendre malheureuse, que je n'ai pas le droit de jouer avec sa santé, ni avec sa vie. J'ai l'impression d'être sur un baril de poudre.

Alors je me découvre des talents en ébénisterie, et je décide d'aller parfaire mes connaissances dans une école privée de Montréal. Il y a quelque chose qui me dit que je serais parfaitement heureux dans ce métier. J'ai déjà fabriqué moi-même mon ameublement. Je m'en suis donné à coeur joie; j'ai sorti de moi tout ce que j'avais de talent et de connaissances et j'ai fabriqué quelque chose qui sort de l'ordinaire. Ma femme n'a jamais cessé de m'encourager. Mais j'ai besoin de plus. Alors, après avoir terminé mon vaisselier et mes tables de salon, je vais chercher mon père. Sûrement il sera fier.

Lorsque je lui apprends la nouvelle, il rit tant qu'il peut. "Voyons Marcel, tu n'as pas d'outils et puis à chaque fois qu'on te demandait de faire quelque chose, t'étais toujours de travers, t'as jamais su rien faire et tu te souviens, le couteau à mastic que tu m'as brisé?

— Oui, je m'en souviens. J'avais quatorze ans.

— Bon alors, n'insiste pas à ce que j'aille voir tes emmanchures, ça ne m'intéresse pas.

— Bon alors, moi je vous propose de vous amener chez moi en auto et je vous ramène ici aussitôt après."

J'insiste encore et ça ne fonctionne pas. Vraiment, j'aurais besoin d'une remorque pour sortir mon père de la maison. Je ne lâche pas prise, je le traînerai s'il le faut, mais il viendra. "Marcel, je t'ai toujours donné des bons conseils et t'as toujours voulu faire à ta tête.

— Je ne prends de conseils de personne et je me gouverne seul et c'est correct comme ça.

— Tiens Marcel, si je te disais, par exemple, que sur chaque côté de l'entrée de cour il y a un lion, qu'est-ce que tu ferais?

— C'est certain que j'entrerais et pour cause. Bon vous venez chez moi et je vous ramène après.

— D'accord, va me chercher mon parka."

Arrivé chez moi, mon père ne se donne même pas le temps d'ouvrir la porte qu'il est au salon debout raide comme un poteau en train de regarder mon travail. C'est un vaisselier de six pieds de hauteur fini acajou. Je suis tellement heureux de voir mon père chez moi pour la première fois de ma vie que j'en tremble de tout mes os. Pour moi, ça tient du miracle. Mon père dans mon propre logis, c'est pas possible! Ça tient du rêve. "Mais il est croche ton meuble voyons, regarde ici.

— Attendez, je vais chercher une équerre et une mesure.

— Non c'est pas la peine", me dit-il. Je le vois mettre sa main dans sa poche arrière et il en sort sa mesure qu'il a pris soin d'amener. Franchement j'ai failli le tuer. "Regarde ici, il a un très petit jour, un petit espace vide et sur toute la longueur, voilà qui peut paraître.

— Bon, je l'admets, j'ai fait une faute."

Mon père se recule et regarde encore longtemps. "Mais il est beau, franchement je te félicite. Je n'aurais jamais cru. Tu me surprends. Puis les tables, c'est très bien. T'as bien pensé. Franchement, t'as du talent. Moi qui croyais que c'était une histoire abracadabrante. Je n'ai jamais vu un aussi beau vaisselier. Tiens, tes vitres sont très bien distancées et ta lumière est complètement cachée derrière le tube. C'est quelque chose à voir. Qu'est-ce que tu as comme outils?

— J'ai une équerre, une perceuse ordinaire, une petite scie électrique et quelques autres outils manuels. Je me fais tailler les plus grosses pièces par le marchand de bois, ça m'aide beaucoup.

— Ta mère viendra sûrement voir ce que t'as fait. Elle sera surprise, elle ne le croira pas."

Mon père est un homme de grand talent, c'est un menuisier hors-pair. Il a l'équerre dans l'oeil. C'est un homme qui a toujours fait son travail avec la plus grande précision. Jamais personne ne s'est plaint de la qualité de son travail. Il est d'une extrême droiture. Voilà ce que j'admire le plus chez lui.

J'en profite alors pour lui demander quelques trucs pour fabriquer mon mobilier de salle à dîner. "Non, la table à dîner, tu ne seras pas capable, voyons donc. Il te manque beaucoup d'outils et d'adresse. Tu ne seras jamais capable de faire une chaise. Puis, tu me parles de te servir de merisier massif. C'est encore pire. Pis t'es mieux de laisser ton bois à fond parce que celui-ci va gauchir. Bon, alors je m'en vais avant que ta mère arrive à la maison et sois certain que je lui dirai ce que t'as fait. Un jour elle viendra sûrement te voir."

Cette nuit-là, je n'arrive pas à dormir. Jamais mon père ne s'était déplacé pour venir me voir, jamais je n'ai eu droit à de si beaux compliments. Un mot d'encouragement de sa part et me voilà parti pour la gloire. J'irai jusqu'au bout de mes idées et je suis fortement convaincu que je réussirai. En plus, j'ai ce qu'il y a de plus beau au monde, une femme qui m'encourage et qui me fait confiance.

Je l'ai fait, mon mobilier de salle à dîner et j'ai fait celui de la chambre à coucher. Je me suis payé le luxe de fabriquer une jolie jardinière en pin massif et en cèdre rouge. Et je me suis fabriqué une horloge sur pied. Tiens, cette fois, je reçois la visite de mon père et de ma mère. Lui, il n'en revient tout simplement pas de tout voir. C'était merveilleux. Ma mère prend la parole: "Oui, mais c'est facile de faire des meubles de cette façon. Tout ton bois est coupé et plané à l'avance et tu n'as qu'à le monter. C'est le marchand qui a tout préparé." J'en ai le feu dans les yeux de l'entendre.

* * *

Ma décision, je la prends un matin après avoir fait un cauchemar. Il est cinq heures et demie. J'ouvre l'armoire, il y a neuf stylos à billes et une brique de feuilles blanches. Je vais écrire un livre. Mais Marcel, ça va te faire très mal. Tu vas devoir revivre ton passé, tu vas réouvrir les plaies. Je m'en fous, je prends le risque et on verra. Ça vaut sûrement la peine d'essayer. Je n'ai que trente- six ans et j'ai autant d'années à vivre. Si tout à coup je parvenais au bonheur de cette façon.

Je décide de me donner la vie dure. Au diable les stylos. Je saute sur la dactylo et j'écrirai mon livre avec un seul doigt parce que je ne connais pas la méthode.

Avant que ma femme parte au travail, je lui fais part de ma décision. Elle a terriblement peur. Elle croit que ça n'arrangera pas les choses. "Mais essaie-le, me dit-elle, et tu verras. Si ça te fait trop mal, tu lâcheras."

C'est vrai que ça fait mal. Impossible de décrire ici tout le mal que je me suis fait. C'est terriblement souffrant. Parfois, j'ai l'impression de reculer au lieu d'avancer. Mais je continue quand même.

Un jour, je décide de laisser mon travail d'écriture pour aller prendre l'air. Ma femme va bientôt rentrer. Après une demi-heure de promenade, je reviens à la maison. Charlotte est assise dans un petit coin de la pièce, toute seule, mes écrits à la main. Elle n'a pas mangé et elle pleure. Je m'en veux terriblement de ne pas avoir caché tout cela; voilà maintenant que je rends quelqu'un d'autre malheureux à cause de mon passé. En plus de me faire souffrir, je la fais souffrir à son tour. Elle ne comprend rien à toute cette histoire, elle ne peut y croire. C'est normal, elle a grandi dans un vrai foyer, où régnaient l'amour et la justice.

Je continue. Parfois, je pèse tellement fort sur les touches de ma dactylo que je troue les feuilles. Plus j'écris, plus la colère grandit en moi.

Ce que je désire le plus au monde, c'est un enfant. Pourquoi un enfant? Parce que je ressens un besoin fou de donner de l'amour.

Mais il paraît que ceux qui ont été battus traitent leur enfant de la même façon. C'est bête, mais c'est comme ça. Les statistiques le prouvent, hélas! Vous savez,... les sondages. Ah! aujourd'hui il en coûte cher pour élever un enfant, ensuite tu ne fais plus ce que tu veux, les parents ne sont plus maîtres chez eux et ensuite, il y a la drogue qui circule partout. Puis à l'école, ils n'apprennent plus rien, les professeurs sont tellement paresseux. Je te dis que c'est pas drôle d'élever des enfants dans l'époque où l'on vit. Maintenant ce ne sont plus les parents qui sont maîtres, ce sont les enfants. Puis t'as plus de liberté, tu ne peux plus sortir, t'es presqu'un esclave, ton enfant ne t'appartient pas, il t'est prêté pendant dix-huit ans et ensuite il s'en va.

Nous sommes en septembre; c'est un très bel après-midi. Le téléphone sonne: "Marcel, viens vite, j'ai besoin de toi, je t'attends."

Je pars en direction de l'hôpital les quatre fers en l'air. Je me mets à trembler de tout mes os. Bientôt j'aurai entre mes bras un nouveau citoyen du monde. Mon enfant. Je lui fais toutes sortes de promesses. Je lui promets de m'oublier totalement pour lui. Je lui promets d'oublier toutes mes rancunes afin de le rendre heureux. Je lui promets de lui donner tout ce qu'il y a de meilleur. Je lui promets de l'aimer, de le respecter. Je lui promets dur comme fer de l'accepter tel qu'il sera.

Ma femme travaille comme une déchaînée. Elle travaille tellement fort que je crois qu'elle va éclater et puis moi je ne peux rien pour elle. Je suis maladroit, très nerveux, je ne sais plus quoi faire de mes bras, de mes mains. Je ne peux accepter de la voir souffrir et je m'en veux maintenant de lui avoir fait un enfant. Je me mets à forcer moi aussi mais j'ai peur que mon bébé sorte du ventre de sa mère d'un coup sec. "Vite monsieur, c'est le moment, allez vous habiller. Vous sentez-vous mal? Vous êtes blanc comme un drap!

— Non, non, ça va." Je ne trouve plus mes verres, je ne trouve plus rien. Tiens ils sont dans mes yeux. Je suis dans la salle d'accouchement et je tremble tellement que j'ai peur que mes os se détachent. Je vois de très grosses pinces. On dirait de grosses cuillères à soupe, pourvu qu'on ne lui écrase pas la tête à mon bébé. Allons, viens-t'en parmi nous, montre-toi le bout du nez, viens vite qu'on te serre dans nos bras. Toi, tu l'as eu pendant neuf mois, c'est à mon tour maintenant.

C'est un grand jour de fête! Moi, mon jour de fête, on me l'a saboté. Laisse tomber, t'as promis de tout oublier pour que ton enfant soit heureux. Pense au bonheur de ta femme, pense au bonheur de ton bébé. Ce n'est pas le temps de flancher. Le miracle vient de s'accomplir, nous avons donné la vie! Je n'ai jamais voulu le dire à personne mais je désirais un garçon. Je l'ai eu. Dieu et Charlotte m'ont fait cadeau d'un garçon. Maintenant je l'ai ma fortune. Maintenant je suis riche.

Mon garçon, nous allons grandir ensemble, on va s'apprendre un tas de belles choses. Grâce à toi, je vais apprendre à devenir plus fort. C'est aussi parce que tu es là que je m'oblige à pardonner. C'est parce que tu es là que je vais apprendre à m'oublier et à donner aux autres. C'est parce que tu es là que je vais cesser de demander pour donner à mon tour. Tu es mon héritier. Je te donne tout de suite ton héritage. Je te donne tout mon amour et je te promets de t'accepter tel que tu es.

Je suis heureux d'avoir un fils, je suis heureux d'être en vie. Je dis à mon père: "Vous savez papa, je veux aujourd'hui vous remercier de m'avoir donné la vie. Vous me l'avez donné mon héritage, et je le fais profiter. Aujourd'hui je sais beaucoup de choses, j'ai beaucoup d'adresse et de savoir faire. Je suis un peu comme vous, je travaille bien. Si je possède de nombreux talents, c'est vous que je dois remercier. Vous m'avez appris à bien travailler. Lorsque j'étais jeune, vous me disiez souvent: "Avant de faire quoi que ce soit, tu t'assieds bien tranquille et tu penses à ce que tu vas faire, tu y penses une fois, puis deux fois et une autre s'il le faut. Ensuite tu te mets au travail." Je suis un peu comme vous, j'aime les choses bien faites. Mon père est tout surpris de m'entendre, tellement surpris qu'il me demande de répéter. Il a les larmes aux yeux. Puis je dis à ma mère: "Puis, vous aussi je vous remercie de m'avoir donné la vie. J'ai appris de vous à avoir de l'ordre. Vous m'avez appris à être persévérant et courageux. Allez, laissez-moi vous regarder, vous avez le visage reposant." Et ma mère me répond: "Tu sais Marcel, nous admettons avoir commis des erreurs. Mais nous avons eu beaucoup de misère. Nous avons élevé huit enfants. Et ton père ne travaillait pas souvent et quoi encore..." Je tourne la page, j'ai fait mon devoir d'enfant. Mais ça va s'arrêter là. Il n'y a plus d'amour. Je crois que j'ai enfin réussi à me couper d'eux. Je suis tellement loin que je décide de ne plus les voir, de faire comme s'ils n'existaient plus.

Ma soeur aînée m'appelle. Mon père est aux soins intensifs et elle me dit qu'il n'en a pas pour longtemps à vivre, quelques heures tout au plus. "Tu vas venir le voir?"

— Non. Il n'existe plus rien entre mes parents et moi. Il n'y a plus un brin d'amour. Tu as déjà eu une peine d'amour toi? Moi oui. J'ai une peine d'amour. Elle a duré longtemps. Elle m'a coûté très cher. J'ai perdu des plumes. J'ai pleuré, j'ai crié et j'ai souffert parce que j'aimais un homme et qu'il ne m'aimait pas: c'était mon père. Maintenant que c'est fini pour lui, que Dieu ait pitié de son âme.

— Marcel, t'as pas le droit d'agir ainsi. T'as pas le droit de le laisser mourir seul. Tu ne peux pas savoir, peut-être que son plus grand désir est de te voir. Peut-être qu'il t'attend. Vas-y! Oublie-toi! Pense à quelqu'un qui aimerait être en présence de son père et qui ne le pourrait pas." Alors j'y vais. Il est étendu sur son lit, blanc comme neige, presque inerte. Je lui donne une poignée de main. Il a l'air indifférent. C'est tout. Je le regarde. Ce que je ressens, moi, est-ce aussi de l'indifférence? Je ne sais plus, je ne comprends plus. Qui va m'aider à percer le mystère? Je voudrais savoir, je voudrais qu'on me dise s'il existe un sentiment qui se situe entre le pardon et l'amour.

Marcel Mailloux
Sherbrooke, le 30 juin 84

Lithographié au Canada
sur les presses de
Métropole Litho Inc.